Del suelo al techo

EDICIÓN ORIGINAL

Dirección de la publicación
Carola Strang

Dirección editorial
Carole Bat

Edición
Christine Dauphant

Dirección artística
Emmanuel Chaspoul
con la colaboración de Cynthia Savage y Jacqueline Bloch

Diseño gráfico
Isabelle Chemin
Catherine Le Troquier

Iconografía
Marie-Annick Réveillon

Ilustraciones
Laurent Blondel

EDICIÓN ESPAÑOLA

Coordinación editorial
Jordi Induráin Pons

Edición
Àngels Casanovas Freixas

Traducción
Francesc Domingo Barnils

Maquetación
dos més dos edicions, s. l.

Cubierta
Tendencia Cero

© 2006 Larousse
© 2007 LAROUSSE EDITORIAL, S.L.
Mallorca 45, 3.ª planta – 08029 Barcelona
Tel.: 93 241 35 05 – Fax: 93 241 35 07
larousse@larousse.es - www.larousse.es

ISBN: 978-84-8016-279-1
Depósito legal: B. 1.921-2007
Impresión: I. G. Mármol
Impreso en España – Printed in Spain

Del suelo al techo

los revestimientos del hogar

LAROUSSE

Aprender para tener éxito

Pinturas decorativas

Papeles pintados y textiles de pared

Alicatado, pavimentado y mosaico

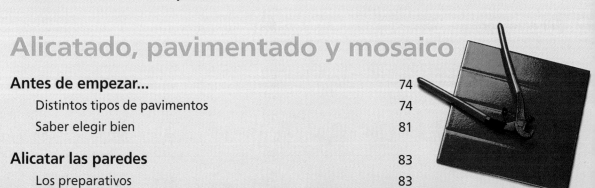

Parquet y machihembrados

Moqueta y fibra natural

Hormigón y vinilo

Aprender
para tener éxito

Las herramientas del pintor

Las herramientas del pintor necesitan un cuidado y una limpieza minuciosos. Después de usarlas, hay que eliminar la pintura sobrante, frotarlas con jabón y aclararlas con agua. Luego hay que dejarlas secar boca arriba para evitar que se deformen.

1. La cubeta de pintura. Es el recipiente que ha de contener la pintura, diluida o mezclada. Es preferible que tenga una rejilla o una superficie con relieves bien marcados, sobre los que luego podrá hacer correr el rodillo para igualar la distribución de la pintura.

2. El rodillo de pintor. Escoja un rodillo ligero, con mango fijo y de 16 a 18 cm de largo. Los modelos muy anchos no son aconsejables porque, cuando están cargados de pintura, pesan demasiado para manejarlos. Evite también los rodillos con depósito, que contienen varios decilitros de pintura en el mango y son difíciles de manejar a brazo alzado. En cambio, procure que el rodillo tenga un mango telescópico para poder pintar o barnizar el suelo sin tener que agacharse.

6. Los pinceles para resaltar (o brochas biseladas) . Se utilizan para pintar listones, molduras y cualquier parte estrecha. Sumerja la brocha en la pintura hasta la mitad de las cerdas. Al pintar, haga girar ligeramente el pincel.

7. Las paletinas. Brochas anchas y planas de cerdas que se utilizan para aplicar el barniz. Este tipo de pincel permite conseguir con mayor facilidad una superficie lisa. También se encuentran en el mercado brochas planas con cerdas de nailon o con cerdas sintéticas para diversas aplicaciones.

8. Paletinas para radiador. Son pinceles planos con mangos largos acodados para pintar el interior de los radiadores antiguos.

9. La brocha plana ancha. Brocha plana, fina y muy ancha que

3. Los rodillos. Las rodillos tienen diferentes texturas, en función de las características del material a utilizar: espumas plásticas para los trabajos corrientes, pieles de cordero para las pinturas acrílicas, angora para las lacas, etc. Incluso para determinadas pinturas hay versiones antigoteo. También existen espumas onduladas para pintar techos con ondulaciones, rodillos de caucho con grabados que sirven para imprimir motivos en relieve y rodillos de gamuza arrugada para aplicar pinturas con efectos decorativos.

4. El rodillo de mango largo. Equipado con un rodillo fijo de pequeño diámetro, este rodillo de pintor está provisto de un mango largo que permite llegar a aquellos rincones a los que es más difícil acceder, como la pared que se encuentra detrás de un radiador o los montantes laterales de una barrera.

5. Las brochas redondas. Escoja brochas (pinceles) de cerdas montadas, con collares metálicos inoxidables; su duración está garantizada.

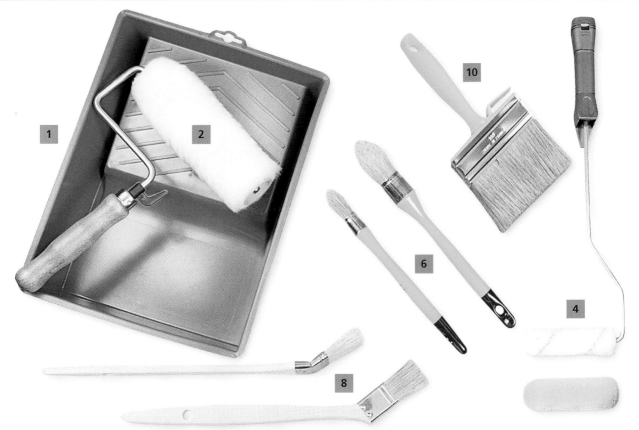

HERRAMIENTAS: FRANPIN

se utiliza para aplicar barnices y vitrificantes. Incluso existen modelos gigantes, sin mango, que se emplean para vitrificar el parquet. No hay que confundir estas brochas gigantes con los cepillos para empapelar; las cerdas son de otro tipo.

10. La brocha especial para barniz. Brocha grande, ancha y gruesa que se emplea para aplicar productos muy fluidos, especialmente los barnices.

11. El guante de pintor. La manopla de piel de cordero se utiliza para las pinturas de efectos decorativos, como los vaciados o los drapeados. También sirve para pintar tuberías. Se extiende el producto sobre la manopla con un pincel. Es aconsejable utilizar unos guantes de látex antes de colocarse la manopla en la mano.

Las herramientas del embaldosador

Las herramientas del embaldosador son utensilios especiales que solo pueden emplearse para estos trabajos. Hay que limpiarlas inmediatamente después de cada uso, ya que los morteros y las colas son productos agresivos, muy difíciles de eliminar cuando están secos.

1. La paleta de embaldosar. Paleta de hoja corta. La forma redondeada del mango permite sostener la herramienta verticalmente para golpear la superficie de las baldosas y asentarlas sobre el mortero cola.

2. La llana dentada. Se trata de una especie de peine metálico que permite extender el mortero cola, dejándolo ya con el grosor que ha de tener. Los dientes serán más o menos estrechos en función del producto que haya que extender y del tipo de baldosas que se deban colocar. Asimismo, dejan unos surcos para luego obtener una capa uniforme, que se adhiera a la vez a la baldosa y al suelo.

3. La tenaza para cerámica. Se utiliza para cortar los materiales más duros, como la cerámica. Para cortar las baldosas del suelo, gruesas y robustas, se utiliza un cortaazulejos.

HERRAMIENTAS : TOMECANIC

12. La llana de limpieza. Plato metálico de suela extraíble que permite cambiar el tapón abrasivo. El tapón verde se utiliza para la limpieza a fondo; el de color salmón corresponde a una fibra de poliéster semisuave, y el blanco es para el lustrado final.

13. El raspador. Hoja de material abrasivo, de poco grosor, que se emplea principalmente para rascar las juntas de las baldosas viejas.

14. Las crucetas. Hay varios modelos de crucetas de plástico, en función de las distintas anchuras de las juntas.

15. El aciche. Taco de madera que tiene como utilidad golpear las baldosas recién colocadas con el fin de igualar la superficie. Algunos llevan una suela de caucho.

16. El mazo de caucho. Se utiliza para dar pequeños golpes sobre el aciche sin aplastar el mortero.

4. Los alicates para cerámica. Provistos de una ruleta dentada, de corte, estos alicates especiales se utilizan para marcar y cortar los azulejos.

5. El pico de loro. La punta aguda de estos alicates permite recortar la baldosa cuando hay que seguir un corte sinuoso.

6. La lima de carburo de tungsteno. Lima para igualar aristas.

7. La punta de trazar. Barrita metálica con un fragmento de diamante o una pastilla de carburo en la punta que permite rayar las cerámicas más duras.

8. La sierra de lima. Permite efectuar dos operaciones distintas: perforar las baldosas y hacer cortes interiores.

9. La rejilla abrasiva. Utensilio que sustituye a la lima con el fin de retocar los cantos de cualquier tipo de baldosas.

10. El taladro. Herramienta de corte circular que puede utilizarse manualmente o con un taladro eléctrico.

11. La llana de caucho. Lleva una suela de caucho y sirve para golpear sobre las baldosas recién colocadas para asentarlas en la capa de mortero sin rayar la superficie.

17. La rasqueta o raedera de caucho. Sirve para rellenar las juntas de mortero cuando se desplaza en diagonal sobre una superficie embaldosada.

18. La plantilla para taladrar azulejos. Accesorio manual que se utiliza para hacer agujeros en las baldosas. La manivela tiene la función de transmitir la rotación necesaria para taladrar.

19. El cepillo de caucho. Es un raspador metálico que cuenta con dos tiras largas de caucho. Provisto del correspondiente mango, este accesorio es de una gran utilidad para limpiar las baldosas del suelo al terminar el trabajo.

20. La llana-esponja con cubo. Sirve para limpiar las superficies recién embaldosadas. La cubeta lleva un rodillo para escurrir la esponja adherida a la llana.

Las herramientas del empapelador-solador

Una regla, unas tijeras y un cúter son suficientes para colocar papel pintado, vinilo o pavimentos plastificados. En cambio, para preparar las paredes y los suelos se recomienda emplear algunas herramientas especiales.

1. El decapador triangular. Con sus ángulos puntiagudos y afilados, se emplea para quitar las pinturas viejas y desconchadas y para abrir pequeñas hendiduras hasta encontrar una superficie limpia.

2. La rasqueta. Cuchillo de hoja gruesa y no flexible que se utiliza como un raspador para limpiar, desconchar o despegar todas las partes donde el material existente se desmenuza, antes de rellenarlas de nuevo con material.

3. La espátula ancha. Hoja muy ancha y flexible especial para aplicar el enlucido. Se utilizan dos modelos: una para coger el material y otra para extenderlo. Hay que elegir dos anchuras distintas (por ejemplo, 10 y 18 cm) y procurar, sobre todo, no mellar las hojas, ya que luego dejarían marcas.

4. La espátula inoxidable. Hoja ancha especialmente apreciada por los yeseros (los especialistas

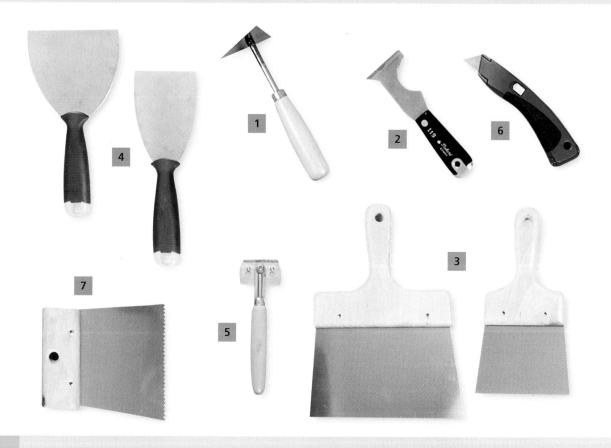

HERRAMIENTAS: L'OUTIL PARFAIT, BOST

9. El cubo de cola y la brocha para encolar. Cubeta que permite preparar la cola de empapelar y dejarla reposar. Si hay que interrumpir el trabajo, cubra el cubo con una bayeta húmeda.

10. El rodillo de encolador. Rodillo pequeño que se utiliza para repasar la adherencia de las juntas que quedan entre dos rollos encolados.

11. La espátula para encolar. Sirve para alisar la superficie de los revestimientos cuando se acaban de encolar y para asegurar su adherencia. Resulta de gran importancia que el borde se mantenga siempre limpio y liso para no dejar marcas.

12. El cúter de hoja circular. Pequeño accesorio que sirve para cortar el papel pintado, antes y después de su colocación. Se utiliza en lugar del cúter clásico,

que colocan capas de yeso) para recubrir y para tapar, operaciones que han de efectuar muchas veces.

5. El rascavidrios. Este raspador, provisto de una cuchilla de afeitar, se utiliza para limpiar los vidrios y los azulejos con el fin de desprender todas las salpicaduras que han manchado estas superficies, evitando rayarlas.

6. El cúter o cuchillo de hoja intercambiable. Para cambiar la hoja, hay que abrir el mango del cúter articulado: la hoja nueva se coloca en el extremo, donde un imán la mantiene en su lugar hasta que al cerrar el mango queda fijada.

7. La espátula dentada. Es una especie de peine metálico cuyos dientes permiten repartir adecua-

damente la cola que se acaba de extender. En superficies reducidas, la cola puede aplicarse con un pincel, pero, si se trata de grandes superficies, la espátula es imprescindible para distribuir la cola.

8. Las tijeras. Escoja tijeras con hojas muy grandes porque mejoran la calidad de los recortes. Las de acero inoxidable son más recomendables.

sobre todo si hay que efectuar cortes ondulados.

13. El cepillo para encolar. Cepillo grande con el que el empapelador alisa la superficie del papel para dejarlo bien extendido y eliminar las burbujas de aire que puedan formarse. Son preferibles los de

cerda, ya que son más suaves que los de plástico.

14-15. Las reglas metálicas. Estas reglas metálicas tienen una arista viva, perfectamente rectilínea, que sirve para efectuar muchos cortes. La regla plana se utiliza también, junto con la bombeada

(nº 15), para realizar las juntas vivas de algunos revestimientos de los pavimentos.

16. El cúter de moqueta. Provisto de una hoja, el cúter de moqueta se utiliza para cortar las partes sobrantes de los revestimientos a ras de zócalo sin desviarse.

Antes de empezar...

Preparación del lugar de trabajo

Si la técnica es adecuada y la organización correcta, renovar paredes y techos puede resultar bastante sencillo. Es conveniente elegir el momento oportuno, calcular el tiempo suficiente para terminar el trabajo de una vez, ya que las habitaciones no podrán utilizarse hasta que estén acabadas, y seguir un orden en la realización de las distintas tareas.

¿En qué orden hay que trabajar?

Para renovar una habitación, y, sobre todo, el techo y las paredes, hay que respetar el siguiente orden, que es útil y necesario tanto para la preparación como para la colocación de los revestimientos.

▶ Empiece por el techo: preparación, aplicación de elementos decorativos (cornisa, rosetón) y, al final, decoración (pintura, vigas, baldosas).

▶ Siga con las maderas, las puertas, las ventanas, los zócalos (limpieza del polvo, decapado, etc.).

▶ Aborde después las paredes: preparación (quitar los revestimientos, limpiar, reparar las grietas y hendiduras, etc.) y colocación de los nuevos revestimientos.

▶ Deje los suelos para el final.

Una vez se ha vaciado la habitación, debe pasar el aspirador por todas partes para quitar bien el polvo.

¿Cómo organizarse?

Unos días antes de empezar:

▶ Compruebe que todo lo relativo a la electricidad y a la calefacción esté en orden. En caso contrario, tendrá que efectuar las reparaciones necesarias.

▶ Si dispone de chimenea y hace tiempo que no se ha deshollinado, aproveche para hacerlo.

▶ Trate las maderas dañadas (marcos o bastidores, puertas y ventanas, zócalos).

▶ Prepare el material necesario para poder trabajar en altura con comodidad y con la máxima seguridad: un andamio seguro (tablón y caballetes) para pintar el techo, y una escalera o un escabel o taburete de la altura apropiada para hacer las paredes (en general, una altura de 2 m será suficiente).

▶ Verifique el estado del material de que dispone.

▶ Si tiene que alquilar herramientas, resérvelas con antelación.

▶ Si tiene qué comprar material, sobre todo no escatime en calidad, principalmente con los pinceles.

▶ Asegúrese de que dispone de material en cantidades suficientes (botes de pintura, rollos de papel pintado, etc.).

▶ Prepare los elementos necesarios para lavar los pinceles y los rodillos, especialmente si prevé que le resultará imposible pintar toda la habitación en un día.

▶ Equípese con ropa vieja y un gorro para cubrirse la cabeza.

▶ Utilice un par de guantes y unas gafas si tiene que decapar pintura o papel pintado (los decapantes son productos tóxicos y peligrosos).

El día anterior:

▶ Vacíe la habitación al máximo: es preciso poder trabajar en una estancia absolutamente vacía. Si no es posible retirarlo todo, agrupe los muebles más voluminosos en el centro y protéjalos con un plástico. También puede utilizar unos trapos viejos, pero siempre colocándolos doblados, ya que no son impermeables como el plástico.

▶ Retire todo lo que pueda estropearse (cortinas, alfombras).

▶ Proteja el suelo o la moqueta con otro plástico.

▶ Quite todos los elementos de las paredes: cuadros, espejos, apliques, clavos y armellas.

▶ Desmonte estanterías, barras, varillas, etc.

▶ Descuelgue las lámparas después de haber desconectado los cables.

▶ Desmonte todos los accesorios eléctricos, los enchufes y los interruptores (sin olvidarse de desconectar la luz). Aíslelos adecuadamente.

▶ Retire las guarniciones de las puertas y deje solo el eje de las manecillas y una empuñadura provisional.

La preparación del techo

Para tener éxito en la decoración del techo, es preciso que esté preparado para el tipo de revestimiento que se ha elegido. En cualquier caso, tanto si es de hormigón como si es de yeso, ha de ser sólido, plano, estar en buenas condiciones, limpio y seco. Para trabajar con seguridad, prepare un andamio, con dos o tres caballetes y un tablón sobre el que pueda desplazarse. Tenga en cuenta que para trabajar en buenas condiciones sin cansarse, la cabeza debe quedar a unos 15 cm del techo.

La limpieza

Cepille el techo y pase el aspirador por las esquinas, sobre todo cerca de los radiadores, donde las manchas quedan siempre más marcadas. Si está muy sucio, no dude en lavarlo con una esponja y después aclararlo con agua limpia. Utilice un detergente con resina de pino y agua caliente para acelerar el efecto de limpieza.

Si muestra un aspecto blanco gelatinoso, no utilice detergente, sino únicamente agua.

▶ Humedézcalo con agua clara y después deje que se reblandezca un poco, pero no demasiado.

▶ Quite la pintura vieja frotando enérgicamente con la esponja, pero teniendo cuidado de no estropear el yeso.

▶ Termine con un buen aclarado.

Si se trata de un techo de yeso sin recubrir, es preferible limpiarlo en seco. El lavado moja el yeso y entonces hay que esperar varias horas hasta que esté seco antes de empezar a pintar.

Atención: Los productos de temple, que se utilizan para despegar los papeles pintados, son apropiados para eliminar el blanco gelatinoso y otros enlucidos que quedan todavía en techos antiguos.

Para llegar al techo

Renovar un techo obliga a utilizar una escalera o un taburete.

A menudo, resulta más cómodo improvisar un montaje con dos escaleras o con una escalera y un taburete unidos por una tabla; o incluso utilizar un pequeño andamio plegable.

Son preferibles las escaleras de tijeras, con peldaños anchos, que las escaleras clásicas, cuyos barrotes redondos «fatigan» las plantas de los pies. La parte superior es plana y permite dejar encima la pintura y las herramientas.

Preste atención al bajar: si ha protegido el suelo con un plástico, es fácil resbalarse...

Reparar la superficie

Las hendiduras y los agujeros deben rasparse con una espátula para eliminar las partes poco adheridas o desconchadas.

Luego habrá que utilizar un producto de relleno y una espátula para tapar las hendiduras y los agujeros más profundos (más de 5 mm). En cambio, una simple mano de masilla o argamasa es suficiente para que desaparezcan los defectos poco profundos, como los desconchados de pintura.

Para rellenar aquellas grietas más profundas

Esta moderna cocina, que se ha instalado bajo un techo abovedado, ofrece un original contraste.

que tienen tendencia a reaparecer de nuevo poco tiempo después de haberlas reparado, se aconseja reforzar la reparación con una tira de calicó (secuencia p. 23). El calicó es una especie de venda de fibra de vidrio que se emplea para «armar» los bordes de una grieta.

Para tapar

▶ Utilice un cuchillo para hacer un trabajo esmerado y empujar el material de relleno hasta el fondo de la cavidad. Si esta es muy profunda (de varios centímetros), hágalo en varias etapas. Deje secar y endurecer el material.

▶ Rellene luego el resto de la hendidura.

▶ Procure igualar la superficie con la ayuda de una espátula.

▶ Deje secar y endurecer de nuevo.

▶ Cuando esté seco, alise con una espátula ancha.

▶ Pulimente con papel de lija de grano fino.

▶ Termine la reparación aplicando una capa fina de argamasa.

▶ Cuando esté seco, alise el material con una espátula ancha que abarque una superficie muy superior a la zona que se ha reparado.

Atención: Si la superficie está demasiado estropeada para arreglarla simplemente rellenando las grietas y hendiduras, tal vez sea necesario sopesar la posibilidad de forrar el techo.

Cuidado con las placas

Si los techos de su vivienda están forrados con grandes placas de yeso, debe tener cuidado al despegar el papel pintado que recubre estas placas. Son placas muy frágiles porque están hechas en capas «cartón-yeso-cartón»; de esta forma se protege la capa de yeso, que es muy delgada (10 mm) y puede hundirse al menor golpe.

Si utiliza vapor de agua, trabaje con mucha precaución. Debe despegar el papel sin dañar el cartón de la placa. Esta tarea es bastante delicada, sobre todo si el papel se ha pegado directamente sobre el cartón, sin ninguna preparación previa de la superficie. Este es uno de los casos en los que a veces es necesario renunciar a despegar el papel. Si es posible, escoja otras soluciones, como pintar, encolar un revestimiento nuevo sobre el antiguo o montar un falso techo.

La preparación de las paredes

En las construcciones antiguas, las paredes son de piedra o de ladrillos macizos, mientras que los tabiques están hechos de ladrillos huecos, llamados también *tochanas*. Paredes y tabiques están recubiertos de una capa de yeso alisada. Para decorar se aplica un revestimiento (pintura o papel pintado).

En las construcciones recientes, las paredes son principalmente de hormigón, de bloques de cemento o de ladrillos huecos. Los tabiques se construyen con ladrillos de yeso (macizos o con acanaladuras), aunque muy a menudo se encuentran paredes y tabiques hechos de placas de yeso encartonadas, montadas sobre una especie de guías, en una estructura que ocupa toda la altura desde el suelo hasta el techo.

En todos estos casos, para poder llevar a cabo un buen trabajo, es necesario tener unas superficies limpias, planas y en buenas condiciones.

Despegar el papel pintado

Superponer dos papeles pintados es una solución que difícilmente puede aconsejarse. Siempre es preferible despegar antes el papel antiguo. Para ello, se pueden emplear varias técnicas.

Con un decapante a vapor. Conectado a la electricidad o alimentado con una bombona de gas, esta especie de olla a presión va expulsando continuamente vapor de agua (foto 1). Este aparato, imprescindible para desempapelar grandes superficies, se puede alquilar en el establecimiento que vende el papel pintado.

Basta con aplicar la bandeja sobre el papel para que el vapor de agua reactive la cola y destemple el papel pintado, que se despega sin dificultad. Sin necesidad de esperar, puede rascar con una espátula los restos de papel que queden todavía pegados. Ya solo queda esperar a que el yeso esté seco y aplicar una selladora o una capa de cola para tapar los poros.

Ventajas: la rapidez con que se puede hacer el trabajo con casi todos los tipos de papel (se puede emplear también para desencolar los acabados y enlucidos sintéticos).

Inconvenientes: el decapante a vapor desprende gran cantidad de humedad, que reblandece el yeso y obliga a dejar un tiempo de secado antes de poder empapelar o pintar de nuevo.

Además, algunos tipos de papeles pintados muy antiguos tienen motivos impresos con colores de anilina. El vapor de agua que despega el papel destempla también los colores, que pueden manchar las superficies de manera irreversible. Para evitarlo, es preferible hacer antes una prueba.

Prevenir las humedades

Evidentemente, es preferible atacar las causas de la humedad. Sin embargo, mientras espera las causas y la ejecución de los trabajos, puede utilizar productos que impiden que la humedad, los líquenes, los mohos y el salitre se desarrollen; de este modo, evitará que el papel pintado se despegue y que la pintura forme ampollas. No obstante, estos productos no solucionan la humedad, sino solo sus consecuencias.

Ventile bien la estancia, ya que estos productos contienen disolventes.

Limpie la pared con detergente de resina de pino.

Cepíllela para eliminar las manchas.

Aplique el producto (antisalitre, antilíquenes, antimohos, etc.) con una brocha grande o un pulverizador.

Empiece a aplicarlo por la parte inferior de la pared. Deje el mayor tiempo de secado posible.

El decapante a vapor es absolutamente imprescindible cuando la pared que hay que desempapelar tiene una gran superficie.

El rodillo punzante perfora los papeles lavables o semilavables para que el vapor o el producto de temple puedan impregnar la capa inferior.

Con un producto de temple. Estos productos, que se disuelven en agua, forman una solución con gran capacidad de penetración, empapan el papel y disuelven la cola. El decapante se aplica con esponja o con un rodillo sobre toda la superficie del papel; tras unos minutos de reacción, se puede proceder a despegarlo de la pared con facilidad.

Ventajas: productos económicos y de fácil empleo.

Inconvenientes: pequeñas humedades en la pared y tiras de papel mojadas que se desprenden y pueden manchar el suelo.

En seco. A pesar de que el papel permanece en la pared durante muchos años, es habitual que algunas partes de despeguen con cierta facilidad.

Basta con deslizar un cuchillo por detrás y tirar del papel hacia arriba para que la mayor parte de tiras se despegue de la pared. Se trata de un trabajo laborioso que requiere paciencia. El trabajo le será más fácil si dispone de una herramienta plana y ligeramente cortante que los pintores llaman *galera*.

Ventajas: no hay humedades que puedan afectar a la pared, por lo que se puede empezar a empapelar de inmediato.

Inconvenientes: puede ser un trabajo largo y pesado.

 Ante un papel lavable (cocinas, baño...) recubierto de una impregnación de PVC, el descolante no tiene ninguna eficacia. Para que el producto penetre por la capa impermeable, tendrá que rasgar el soporte con un cepillo de púa metálico o con un rodillo punzante (foto 2). Si utiliza un decapante a vapor para desencolar un revestimiento lavable, proceda de la misma forma.

Lavar las pinturas

Para lavar las pinturas antiguas utilice detergente de resina de pino disuelto en agua caliente. Este tipo de detergente no hace espuma, no contiene fosfatos ni colorantes y es biodegradable al 90 %.

▶ Diluya el detergente en función del grado de suciedad de la superficie que hay que limpiar. Una disolución de 50 g de detergente por litro de agua puede ser adecuada.

▶ Proteja el suelo con unos plásticos para no mancharlo.

▶ Limpie empezando por la parte inferior de la pared y suba progresivamente en dirección al techo para evitar los regueros de detergente; luego pueden resultar muy difíciles de eliminar.

▶ Recuerde que debe protegerse con unos guantes.

▶ Emplee una esponja natural grande y un cepillo de lavar ropa para limpiar los relieves (molduras, cornisas, etc.). Un cepillo de cerdas duras puede ser también muy útil para decapar las zonas desconchadas.

Un buen lavado proporciona unos resultados brillantes.

▶ No limpie todas las paredes al mismo tiempo. Trabaje en pequeñas superficies e interrumpa la limpieza para aclarar con agua limpia.

▶ No deje secar sobre la pared el líquido de limpiar. De vez en cuando vaya aclarando con agua para eliminar los restos de detergente, que impedirían poder aplicar la nueva pintura.

▶ Por último, corrija la porosidad del yeso. Los enlucidos se limpian con agua clara o con un producto de temple (desempapelador).

Preparar las paredes con placas de yeso

Algunas paredes están hechas de placas de yeso. En tal caso, su preparación no se efectúa como se ha explicado hasta ahora.

Las grandes placas de yeso que se utilizan para construir tabiques o forrar la superficie de paredes y muros son, en realidad, tres capas: «cartón-yeso- cartón». Sin la protección del cartón, la capa de yeso es muy delgada (10 mm) y puede hundirse al menor golpe. Por esta razón, la preparación de este tipo de material, que por otra parte da unos resultados excelentes, requiere tomar algunas precauciones.

Placas nuevas. Antes de aplicar cualquier revestimiento, deberá aplicar una primera capa de pintura (especial para placas de yeso) para penetrar en el cartón. De este modo, no tendrá ningún problema para conferirle el acabado deseado (pintura, papel pintado, baldosas, etc.). Si se trata de papel pintado, el día que decida cambiarlo no tendrá ninguna dificultad.

Placas pintadas. Empiece con un lavado para decapar la pintura. Si hay partes desconchadas o rotas, no insista: es importante evitar que el agua con jabón penetre en el cartón de la placa. Aclare la superficie que se ha limpiado y déjela secar; resulta bastante conveniente pasar un paño por las zonas que parezcan demasiado húmedas.

Placas tapizadas con papel pintado. Proceda a desencolar los papeles, pero con mucho cuidado. Si utiliza agua o vapor, vaya poco a poco: debe arrancar el papel pintado sin dañar el cartón de la placa. Es un trabajo bastante delicado, sobre todo si el papel se ha encolado directamente sobre el cartón, sin ninguna preparación previa de la superficie.

Si esta operación plantea muchas dificultades, olvídese de despegar el papel y opte por otras soluciones, como pintar el papel antiguo o encolar directamente un nuevo revestimiento encima.

Atención: Si las placas de yeso se encuentran dañadas en diferentes zonas, es preferible forrar toda la superficie con un producto no tejido para pintar. Este calicó gigante conferirá rigidez y uniformidad a una superficie degradada en exceso.

Revestimientos para pintar

Hay papeles y tejidos especiales pensados para ser pintados. La mayoría son revestimientos de PVC no tejidos, a base de polipropilenos blancos. Se presentan en rollos, se pegan como el papel pintado y están destinados a ser recubiertos con pintura. Este procedimiento presenta varias ventajas, ya que simplifica el trabajo de preparación de las paredes.

Un papel de este tipo, por ejemplo, encolado sobre una pared agrietada, disimula todas las pequeñas imperfecciones y puede sustituir el revocado y el alisado del soporte, una tarea que casi siempre resulta bastante molesta.

Si se aplica un papel blanco, se disimulan muchos defectos y se puede pintar enseguida o, por el contrario, aguardar varios meses, puesto que la pared ya está revestida.

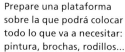

Preparar y reparar la madera

Ya sea en marcos de puertas, ventanas, zócalos o artesonados, la madera es un material de calidad y frágil a la vez. Antes de recibir un nuevo revestimiento, es preciso prepararla cuidadosamente, especialmente si va a aplicar pintura.

Si la madera está pintada y la pintura está en buen estado:
► Lave con jabón de resina (procediendo de abajo arriba y no a la inversa).
► Enjuague con agua clara.
► Tape las hendiduras y los agujeros con pasta para madera.
► Por último, efectúe un pulido ligero con un abrasivo extrafino, por ejemplo, un estropajo metálico.

Si la pintura está desconchada:
► Habrá que decaparla. En primer lugar, utilice una solución de detergente muy concentrado para hacer saltar todas las partes desconchadas.
► Enjuague y, a continuación, seque con mucho cuidado para evitar que la madera absorba demasiada humedad. Si este lavado no es suficiente para obtener una superficie limpia y lisa, utilice un limpiador químico.
► Enjuague con agua caliente.
► Cuando la madera se haya secado por completo, trate la puerta, la ventana o la moldura como si fuera madera nueva.
► Tape los tornillos y clavos que penetran en la superficie con pasta para madera.
► Pula y, a continuación, aplique una mano de imprimación o un producto tapaporos que impida que la pintura penetre en los poros de la madera.

Prepare una plataforma sobre la que podrá colocar todo lo que va a necesitar: pintura, brochas, rodillos...

Con las molduras que tienen relieves, cuya superficie no permite trabajar con una espátula plana, utilice un revoque semilíquido. Aplíquelo con una brocha. Luego deje secar y pula para obtener una superficie perfectamente lisa, a punto de recibir una pintura lacada.

Tapar agujeros y grietas

Agujeros o grietas de pequeñas dimensiones. En los comercios especializados disponen de masillas listas para usar (en tubos o en botes), casi siempre a base de un gel de celulosa, cuya composición permite rellenar las grietas sin que la masa se encoja cuando se seca.

▶ Limpie la grieta para quitar todo el polvo; no es preciso humedecerla para asegurar la adherencia del producto.

▶ Sujete la espátula en posición perpendicular al sentido de la grieta y empuje el producto hasta el fondo.

▶ Alise la superficie para retirar el material sobrante y deje un tiempo de secado.

Grietas más importantes. Son aquellas grietas que, por ejemplo, aparecen junto a las puertas, en la prolongación del marco o bastidor. Estas grietas tienen tendencia a reaparecer periódicamente. En las construcciones antiguas, dichas grietas son muy frecuentes; los bastidores de madera se prolongan hasta el techo y hacen «saltar» el yeso que lo recubre. Lo mejor es reforzar el relleno con una tira de calicó (secuencia).

Rellenar una grieta

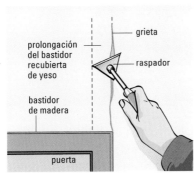

1. Limpie la hendidura. Con la ayuda de un raspador, abra los bordes de la hendidura hasta encontrar el yeso sano. Quite el polvo del interior con un pincel.

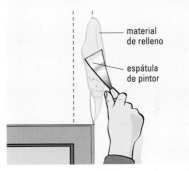

2. Rellene la hendidura. Aplique el producto de relleno. Espere a que se haya secado y endurecido antes de proseguir con el resto de operaciones.

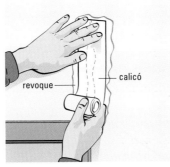

3. Recubra con un revoque de alisado. Después, sin esperar, aplique una tira de calicó. Pula la superficie con una espátula para revocar para que el producto pase a través de la trama del calicó. Deje secar.

4. Aplique una nueva capa de revoque. Extiéndala sobre una franja de doble anchura que la tira de calicó para que desaparezca por completo, sin sobresalir. Deje secar y luego pula antes de pintar.

El revocado-alisado

Cuando la superficie que se va a pintar no está muy estropeada, sino que lo único que tiene son hendiduras superficiales, es conveniente dar un raspado al revoque. Esta operación es delicada y consiste en recubrir toda la superficie con una fina capa de revoque extendido; de esta manera, la pintura se extenderá de forma homogénea. Es una operación que hay que realizar necesariamente cuando se quiere aplicar una laca brillante.

Una revocadura se efectúa en dos fases: el empastado y el alisado.

El empastado. Trabaje siempre con dos espátulas de distinto tamaño. La más ancha sirve para coger material y la más pequeña para aplicarlo. Con la segunda espátula, coja pasta de la primera y aplíquela sobre la pared (foto 1). Desplace la espátula en sentido descendente y vaya describiendo un movimiento de basculación, de arriba abajo, para depositar una capa fina y uniforme de producto. Luego continúe hacia la izquierda o hacia la derecha, avanzando cada vez la anchura de la espátula (croquis 2).

El alisado. Sin añadir más producto, alise la superficie aprovechando la elasticidad de la espátula. No hay que modificar el ángulo que forma la hoja con la pared, que deberá ser, aproximadamente, de 45° (foto 3). Realice varias pasadas sucesivas para que el producto quede repartido uniformemente en la superficie.

Atención: Cuando se ha empleado poca pasta y el revoque que se aplica está mal calibrado, la superficie forma como unas olas y en el fondo aflora la pared. El reguero es la línea no uniforme que deja el ángulo de la espátula al revocar.

Tapar los agujeros con yeso. Si domina bien la preparación, podrá utilizar el yeso para tapar los agujeros más grandes. Resulta más económico que los productos de relleno listos para usar, pero hay que ir con cuidado porque el yeso se endurece enseguida.

▶ Elimine las partículas de yeso mal adheridas con un cepillo metálico.

▶ Quite el polvo.

▶ Moje el agujero con abundante agua.

▶ Prepare el yeso respetando la proporción adecuada según el modo de empleo.

▶ Aplique el yeso con una espátula pequeña, empezando por abajo y subiendo poco a poco para rellenar bien la hendidura.

▶ Cuando el yeso haya prendido, pula con una esponja húmeda.

▶ Deje secar y, al final, extienda una capa de revoque.

Empastado y alisado

1. En el empastado, cargue la espátula de pasta.

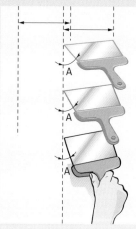

2. En el empastado, desplace la espátula en sentido descendente y reduciendo progresivamente el ángulo A para añadir más o menos pasta en la pared.

3. En el alisado, juegue con la elasticidad de la espátula para ir dosificando el grosor de la capa y vaya ganando cada vez una anchura de media espátula.

La preparación de los suelos

Unas simples grietas, defectos de nivelación, deterioro general... los suelos pueden presentar imperfecciones que no permiten ser recubiertos con un revestimiento. No obstante, soluciones no faltan: desde pequeñas reparaciones puntuales hasta el nivelado de la superficie mediante el uso de mortero. Elija la más indicada en función de sus suelos y revestimientos.

Cualidades de un buen soporte

Para recibir un revestimiento, el soporte, tanto si se trata del pavimento como de un revestimiento antiguo, debe reunir las siguientes cualidades:
– Ser plano, para evitar una colocación defectuosa, antiestética y perjudicial para la buena fijación del revestimiento.
– Dureza y resistencia, para evitar la aparición de grietas y un posterior despegado del revestimiento. En este sentido, conviene verificar tanto la superficie como la profundidad.
– Estabilidad, para evitar las grietas y las abolladuras. Las lamas de parquet no deben moverse al caminar sobre ellas.
– Porosidad normal, si se trata de un pavimento de cemento. Si es muy poroso, conviene recubrirlo con una capa de adherencia.
– Limpieza y ningún rastro de humedad. Para permitir la adherencia del mortero o la cola, es necesario eliminar los restos de yeso, cola, barniz, cera o pintura. Por último, antes de empezar la colocación, el soporte debe estar completamente seco.

Etapas para revestir los suelos

Colocar el revestimiento del suelo es el último trabajo de la habitación. Antes habrá pintado el techo y las paredes, colocado el papel pintado y realizado los trabajos de carpintería. Solo si tiene que pulir el parquet, deberá hacerlo antes de empapelar o pintar.

Prepare los suelos unos días antes de empezar la colocación. Cuando la habitación está vacía y bien limpia, la etapa fundamental es la preparación del suelo. Su duración variará en función de si hay que quitar el revestimiento antiguo, instalar una capa flotante, efectuar un revocado o únicamente pequeñas reparaciones. Aproveche la ocasión para revisar el estado de las tuberías y, si es el caso, haga las reparaciones convenientes. Repase también la instalación eléctrica. Si necesita alquilar material, actúe con previsión y resérvelo.

Dos días antes de la colocación, regule la temperatura. Si va a instalar moqueta o

¡Cuidado con los escalones!

La colocación de un revestimiento nuevo implica tener siempre en cuenta la altura que tendrá el nuevo suelo. Si bien los milímetros que hace aumentar una moqueta nueva se arreglan con una barra especial para suelo, los dos o tres centímetros de diferencia entre las baldosas nuevas de la cocina y las antiguas del pasillo pueden provocar tropiezos. En este caso, ¿hay que retirar el revestimiento antiguo para reducir el grosor? «Sí», responde el profesional. Pero los aficionados pueden optar por otra solución y cambiar, por ejemplo, los suelos de las dos habitaciones afectadas. Cualquier solución que se adopte conviene estudiarla antes de empezar la reforma.

parquet, guárdelos en la misma habitación para que vayan aclimatándose a la temperatura ambiente.

En el caso del parquet, detenga la calefacción.

El día antes de la colocación, reúna y compruebe el material. No olvide los guantes ni las protecciones. Retire aquellas puertas que se abran hacia el interior de la habitación. Antes de volver a ponerlas, compruebe si necesitan un cepillado. Si va a utilizar colas o mortero cola, detenga la calefacción radiante. También puede retirar los zócalos.

Pequeñas reparaciones previas

Algunas imperfecciones de escasa importancia se resuelven con una pequeña intervención. Pero si el suelo presenta defectos importantes de nivelación, no dude en efectuar un revocado completo o estudiar la colocación de una capa flotante seca.

Si ha preparado el suelo cuidadosamente, su esfuerzo se verá recompensado con un buen resultado final.

Sobre un pavimento de cemento.
▶ Limpie cuidadosamente la capa de cemento y rasque las irregularidades (por ejemplo, los restos de cola) con una espátula o una galera.
▶ Tape los agujeros y las grietas con un mortero de revocar (1 parte de cemento por 3 partes de arena); si es preciso, agrándelos previamente para permitir una mejor penetración del material. También puede utilizar cemento de secado rápido y aplicarlo con la espátula en el interior de la hendidura. Deje secar.
▶ Elimine el polvo.

Sobre un pavimento de madera.
▶ Tape las pequeñas grietas y hendiduras con pasta para madera, aglomerado o incluso pasta para revocar.
▶ Quite los clavos deteriorados y clave bien los que sobresalgan. Si el alojamiento del clavo se ha agrandado, sustitúyalo por un tornillo. Utilice la punta de una broca para marcar el asiento de la cabeza. Atornille.
▶ Sustituya las tiras de parquet deterioradas, rotas o agrietadas (p. 118-119).
▶ Si es necesario, pula toda la superficie hasta encontrar el parquet limpio, sobre el que podrá colocar directamente una moqueta o un vinilo flexible.

Sobre baldosas.
▶ Compruebe las baldosas con un martillo para detectar las que suenan a hueco. Quítelas o rómpalas a trozos para poder retirarlas (p. 88).
▶ Humedezca el suelo y tape con mortero los huecos de las baldosas que faltan. Alise con la llana para conseguir una superficie plana. Deje secar y endurecer.
▶ Pase el aspirador y lave las baldosas con agua y una solución de resina de pino para eliminar los restos de grasa y de otros productos. Aclare y deje secar.

Sobre baldosas antiguas de vinilo.
▶ Pula ligeramente para quitar el brillo.
▶ Elimine los restos de productos de mantenimiento. Lave bien el suelo y aclare luego con agua limpia.
▶ Retire las baldosas si no están perfectamente adheridas.

Para comprobar si el suelo es plano, utilice una regla de 2 m de largo. Para poder colocar y encolar directamente, las irregularidades no deben exceder los 7 mm por debajo de la regla. Se consideran «localizados» los defectos que no sobrepasen el 20 % de la superficie total, sobre 1 m² de superficie continua.

Pinturas
decorativas

Las pinturas

Elegir la pintura

La pintura, de fácil y rápida aplicación, es el acabado decorativo más utilizado. Es un material que ofrece tal cantidad de matices, que es prácticamente imposible no encontrar los colores que ha elegido. Su empleo requiere, sin embargo, una buena preparación de los fondos, sin lo cual el resultado podría no ser satisfactorio. La técnica básica para pintar es muy fácil de aprender y el material necesario es simple y económico: con un poco de práctica, podrá sacar provecho de las pinturas y obtener los efectos esperados. Barnices y tintes son también otros productos cuyas particularidades los hacen muy interesantes.

Los diferentes tipos de pinturas

Las pinturas clásicas. Una pintura es una preparación más o menos fluida, compuesta de tres elementos principales: los pigmentos, un ligante y un disolvente. Los pigmentos aportan el color; el ligante proporciona cuerpo y adherencia a la pintura, y el disolvente la mantiene en estado líquido hasta su utilización.

Además del color, las pinturas se distinguen por el acabado: brillante, satinado o mate.

Hay dos tipos de pinturas:
– Las pinturas al óleo se llaman comúnmente **gliceroftálicas**. Son las preferidas por los profesionales, ya que se deslizan bien con la brocha, son fáciles de extender y forman en la superficie una película impermeable que las hace apropiadas para cocinas y baños. Las de acabado brillante toman en la superficie el aspecto de una laca; con ellas se consigue un acabado impecable. En contrapartida, desprenden un olor desagradable y la evaporación de los disolventes derivados del petróleo requiere, a cualquier temperatura, una buena ventilación de los locales durante el tiempo de secado, que además puede ser bastante largo.

El simbolismo de los colores

La educación, la cultura, el clima o las tradiciones influyen en nuestra percepción de los colores. Su simbología varía de un continente a otro.

Así, el azul simboliza la paz y la armonía. Lleno de contradicciones, el verde es, al mismo tiempo, el color del azar y de la naturaleza, pero en algunas culturas también se asocia con el diablo. Color de fuego y sangre, el rojo trae imágenes contradictorias. Evoca al mismo tiempo el amor, la riqueza, pero también el peligro y la prohibición. El amarillo, por su parte, representa el oro, el sol y el calor, pero simboliza, asimismo, la enfermedad y la traición. Por último, el naranja es el color de la alegría de vivir y del gozo, pero todavía hoy tiene connotaciones negativas ligadas al mal gusto.

Una pintura satinada confiere un aspecto sedoso y muy delicado a las paredes.

– Las pinturas al agua suelen ser acrílicas. Los aficionados las prefieren por dos razones básicas: se secan rápidamente y casi todas son inodoras. La película que forman en la superficie es menos impermeable que la de las pinturas al óleo, deja respirar el soporte a través de la pintura y permite que el agua pueda evaporarse. En cambio, el brillo de la superficie no es el mismo. Por esta razón, con estas pinturas es preferible elegir acabados mates o satinados para aplicarlas sobre madera o mampostería. Compuestas a base de resinas sintéticas, estas pinturas, en estado líquido, contienen también derivados del petróleo, lo que obliga a tomar ciertas precauciones.

El tipo de pintura a elegir depende ante todo del soporte (yeso, madera, metal) y del efecto decorativo que se persigue. La oposición entre los partidarios de las pinturas al óleo y los adeptos a las pinturas al agua es, en realidad, un falso problema, ya que lo importante es conseguir un resultado final satisfactorio. Esto significa que las características de los productos difieren, así como los medios susceptibles de ser utilizados para obtener el efecto que se desea. Tiene, por tanto, a su disposición una amplia variedad de pinturas y de métodos decorativos.

Las pinturas especiales. Además de los dos principales tipos de pinturas, existen otros productos que, aun cumpliendo una función decorativa, han sido fabricados para usos especiales: la higiene de locales, antiinsectos, la seguridad del hogar, etc.

– Las pinturas insecticidas contienen principios activos que eliminan los insectos cuando entran en contacto con ellas. Su efecto dura de cuatro a cinco años.

– Las pinturas antibacterianas, inicialmente destinadas a dependencias hospitalarias, destruyen los gérmenes por contacto durante varios años.

– Las pinturas antiácaros están especialmente indicadas para las habitaciones de las personas que padecen asma. Estas pinturas tienen un doble objetivo: sus microcristales contribuyen a erradicar los ácaros y el componente fungicida impide el desarrollo de moho.

– Las pinturas autolavables se utilizan para revocar fachadas. Son pinturas que se conservan limpias, ya que las partículas de suciedad no quedan adheridas y el agua de lluvia las limpia sistemáticamente.

– Las pinturas antioxidantes evitan la oxidación de los metales férricos. Algunas aportan protección anticorrosiva y películas microporosas, y se aplican indistintamente sobre madera o sobre metal: no es preciso cambiar de pintura para proteger una ventana de madera con herrajes metálicos.

Los barnices. Son productos a base de resinas destinados a proteger la madera y, opcionalmente, a teñirla. Al igual que las pinturas, los barnices se presentan en solución disuelta o en estado líquido. En general, estos últimos son tan eficaces contra la humedad como los barnices disueltos, pero son menos resistentes a la abrasión y tienen tendencia a levantar las vetas de la madera, lo que provoca que la superficie sea ligeramente rugosa.

La indicación «especial machihembrado» (Tixotropican) indica que los barnices se han fabricado con fórmulas adaptadas a las maderas resinosas o que se trata de barnices gelificados que evitan los goterones, una propiedad que agradecen las personas poco expertas. Los barnices «de intemperie» o «marinos» son resistentes al salitre. Están indicados para las zonas expuestas a la intemperie. Mates, brillantes o satinados, estos barnices especiales se encuentran en versión incolora (aunque acentúan ligeramente el tinte original) y en tonos madera: roble claro y oscuro, nogal, cerezo, caoba, ébano, etc.

Los tintes. Su función es únicamente decorativa. A base de agua o de alcohol, se encuentran en una gran variedad de tonos madera y de colores. Algunos tintes se pueden mezclar entre sí y permiten obtener una gama de colores más amplia.

© Dp

La pintura anticucarachas permite erradicar estos insectos incluso en sus rincones preferidos.

© Dp

El barniz antideslizante, de fácil aplicación, aumenta la seguridad de los desplazamientos tanto en el exterior como en el interior de la casa.

© GUITET

En este salón, de aspecto barroco, se combinan armoniosamente los matices de color violeta, rosa y parma.

El acabado de los tintes de alcohol es satinado y el de los tintes de agua es mate.

Los barnices de poro abierto. A diferencia de los tintes, que tapan totalmente la madera, el barniz de poro abierto puede ser transparente u opaco sin que, por ello, el veteado quede oculto. Hay barnices de poro abierto «finos», con acabado mate, y barnices de poro abierto «ricos», con efecto satinado.

Son productos translúcidos destinados a teñir la madera y, al mismo tiempo, resaltar el veteado y protegerla. Los barnices de poro abierto están compuestos por una base de disolvente o agua, a los que se añaden resinas, pigmentos, filtros y, a veces, aglutinantes fungicidas e insecticidas. La gama de colores es también muy importante, y el efecto que se obtiene está en función del número de capas que se ha aplicado.

La ventaja del barniz de poro abierto es que, a la vez que decora, alarga la vida de la madera. Aplicado sobre carpinterías exteriores a pincel o por pulverización, este tipo de barniz impide las infiltraciones de agua y evita que la madera quede agrisada o ennegrecida por la acción de los rayos ultravioleta. El barniz de poro abierto salta con el tiempo, pero la superficie no presenta bolsas ni hendiduras. Así pues, su restauración no requiere trabajos previos de decapado ni pulido: basta simplemente con quitar el polvo.

Pinturas y productos ecológicos. Todos nosotros pasamos la mayor parte del tiempo entre cuatro paredes. Sin embargo, numerosos materiales de uso habitual son nocivos para la salud y empeoran la calidad del aire, ya

© V33

Barnices de poro abierto en colores de alta protección.

En una cocina es mejor emplear pinturas lavables.

que desprenden sustancias químicas, con lo que se incrementa el riesgo de padecer alergias. Esto es lo que ocurre con las pinturas convencionales y los productos relacionados, que proceden de la química sintética. Sin embargo, la necesidad de preservar mejor el entorno ha llevado a los fabricantes a revisar sus métodos de fabricación. Así, han preparado productos de síntesis «aligerados» en cuanto a partículas volátiles. Estas pinturas y barnices, menos nocivos, cumplen la directiva europea que tiende a reducir estas sustancias en los productos solventes y acuosos. Suelen distinguirse por llevar una ecoetiqueta europea.

En modo alguno, las pinturas y otros productos naturales (solubles en agua) constituyen la solución ecológica ideal. Desde hace mucho tiempo, estos productos han interesado al sector industrial. Sin embargo, las pinturas naturales no son fácilmente accesibles para los particulares. La información destinada al gran público es aún limitada y las redes de venta son restringidas. No obstante, la preocupación por la protección del medio ambiente y el entusiasmo que despierta la bioconstrucción están a punto de cambiar la situación.

Pinturas menos agresivas

Es fácil encontrar en el mercado pinturas en las que la proporción de productos nocivos se ha reducido sensiblemente. Se distinguen fácilmente por llevar una ecoetiqueta europea. También existen pinturas ecobiológicas. Aunque sus componentes, de origen natural, no siempre están exentos de efectos tóxicos, son menos nocivas y más respetuosas con el entorno que las pinturas habituales. Para obtener esta etiqueta, los fabricantes deben someterse a estrictos criterios ecológicos (ausencia de éteres, de glicol, etc.) y de alta exigencia en los resultados (rendimiento, secado...), desde la fabricación hasta la eliminación de los productos.

Calcular la pintura necesaria

Las pinturas se presentan en botes de distintos tamaños, casi siempre en preparaciones de 0,5, 2,5 y 10 litros.

Para calcular la cantidad de pintura necesaria, proceda del siguiente modo:

▶ Mida el perímetro de la habitación.

▶ Reste de este total las grandes aberturas acristaladas.

▶ Multiplique el resultado por la altura del techo para obtener la superficie que debe pintar.

▶ Divida esta superficie por la capacidad de recubrimiento indicada en el bote y, de este modo, sabrá los litros de pintura necesarios para cubrir en una sola capa todos los muros de la estancia. Si ha previsto aplicar dos o tres capas, multiplique esta cantidad por dos o por tres.

Ejemplos:

Si tiene una habitación de 5 x 4 m, con una altura de techo de 2,50 m y una puerta acristalada de 2 m de ancho, la pintura elegida indica «de 10 a 12 m^2 por litro» y quiere dar dos manos:

El perímetro a pintar es de: $(5 + 4) \times 2 = 18$ m $- 2$ m $= 6$ m.

La superficie a pintar es de: 16 m $\times 2,50$ m $= 40$ m^2.

Por consiguiente, para una sola capa hacen falta $40 : 10 = 4$ litros, o $40 : 12 = 3,33$ litros, y el doble para dos capas (de 7 a 8 litros). En este caso, conviene coger un bote de 10 litros, que casi siempre resulta más económico que los botes pequeños.

La cantidad de pintura necesaria que indica el fabricante en el embalaje es teórica, suele ser orientativa y a la baja. Por ello, si tiene poca experiencia, es probable que no consiga cubrir la superficie deseada. En este sentido, es mejor contar a la alza al dividir la superficie a pintar por los metros cuadrados indicados en el embalaje; además, no olvide que se trata de una cantidad para una sola capa. Los paneles y las molduras requieren más cantidad de pintura que las paredes lisas. Se calcula que 6 m de moldura equivalen a una superficie de 1 m^2. Por último, es conveniente comprar toda la cantidad de pintura necesaria de un mismo color de una sola vez para evitar posibles diferencias de matiz, incluso si se trata de pintura blanca.

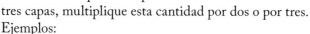

Antes de empezar a pintar una gran superficie, es preferible hacer una prueba en un rincón de la pared.

Pintar un techo

Cuando el techo ya está limpio y se han reparado las grietas y las hendiduras, conviene llevar a cabo un trabajo previo para dejar la superficie lista para pintar: consiste generalmente en aplicar una capa de pintura de fijación o de acabado rebajada con un disolvente.

Bajocapa

Pintura de fijación. Si se encuentra ante un techo de yeso, no deje de «alimentar» su superficie con una primera capa de selladora para reducir su porosidad. Esta primera capa aplicada directamente sobre el yeso puede ser una pintura «de fijación», es decir, una pintura especial, más fluida y más económica que una pintura de acabado.

La pintura de acabado diluida. También puede emplear la pintura de acabado, rebajándola con un 10 % de disolvente (agua o aguarrás) para que sea más fácil extenderla. En este caso, emplee solo una pequeña cantidad de pintura, puesto que resulta suficiente para aplicar la primera capa. Es inútil diluir el resto.

Los selladores. Existen, además, otros productos específicos, como los selladores, que, aplicados a la imprimación, bloquean la porosidad del yeso, lo que supone un ahorro en pintura de acabado.

Cuando el techo ya está pintado, no es necesario preparar una imprimación tan líquida. Bastará con añadir un 3 o un 4 % de disolvente para que la pintura no sea demasiado pastosa para extenderla. Evidentemente, el hecho de aplicar una primera capa rebajada le obliga a dar una segunda capa para asegurar un cubrimiento correcto.

Cuidado con las manchas. Si las manchas persisten después de aplicar la bajocapa, deberá revocar con goma-laca. Esta resina natural incolora evitará que reaparezcan tras aplicar la pintura de acabado.

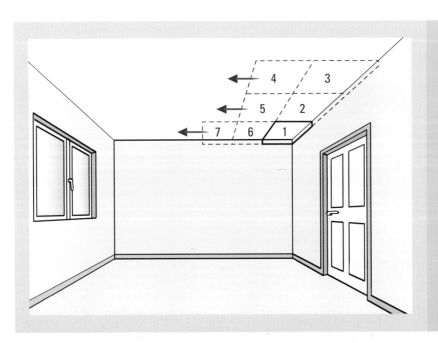

Trabaje por cuadrados sucesivos de unos 50 a 60 cm de lado, yuxtapuestos y siempre pintando en el mismo sentido. Avance en dirección a la fuente de luz (la ventana). La unión entre el techo y las paredes hay que pintarla a mano, con pincel.

Para pintar un techo

1. Empiece por las cornisas. Mediante una brocha o un pincel, pinte todo el perímetro del ángulo entre el techo y las paredes, en la zona por la que no puede pasar el rodillo.

2. Prosiga con el rodillo. Pinte en franjas anchas a lo largo de toda la habitación, avanzando hacia el lado en el que se encuentra la ventana y evitando volver hacia atrás.

3. Aplique la segunda capa. Cuando la primera capa se haya secado, aplique la segunda cruzando el sentido del rodillo. Por último, acabe alisando en dirección a la luz.

A la hora de pintar

Empiece a pintar en una esquina opuesta a la ventana (croquis p. 36). Con una brocha, aplique la pintura sobre una franja de 4 a 5 cm de ancho siguiendo el ángulo que forman las paredes y el techo (secuencia). Si también quiere pintar las paredes, puede manchar con pintura la parte más alta de las mismas.

A continuación, proceda como sigue:

▶ Trabaje por cuadrados sucesivos. Vaya yuxtaponiendo los cuadrados para formar unas franjas anchas a lo largo de toda la habitación.

▶ Avance hacia la ventana. Conviene evitar volver hacia atrás para aplicar una segunda capa sobre una superficie ya pintada. Por ejemplo, cuando esté pintando el cuadrado nº 6, no toque la superficie del cuadrado nº 1 porque corre el riesgo de despegar la pintura que está empezando a secarse.

▶ Cuando el techo esté cubierto con la primera capa, respete el tiempo de secado indicado por el fabricante. Incluso habrá que aumentarlo si ha diluido mucho la pintura.

▶ Después de un secado completo, examine bien la superficie: descubrirá zonas sin pintura o jaspeados, casi siempre originados por paradas bruscas del rodillo. Estos detalles le indicarán cómo proceder para corregir los defectos con la segunda capa.

▶ Aplique la segunda capa de pintura como la anterior, pero cruzando la dirección de paso del rodillo.

Para terminar, alise la superficie en la misma dirección, hacia la luz, sin añadir pintura al rodillo.

Atención: Las pinturas y los revoques con muchas resinas sintéticas forman un recubrimiento ligeramente flexible que oculta perfectamente los pequeños defectos y envejece sin desconcharse.

Si el techo está muy sucio:
▶ Límpielo con detergente de resina de pino muy concentrado y, a continuación, aclare con agua limpia. Utilice guantes de caucho y gafas protectoras.
▶ Deje secar varias horas para que la superficie pierda toda la humedad.
▶ Aplique una primera capa de pintura no diluida. Puede utilizar una pintura muy densa para eliminar los pequeños defectos que el detergente no ha suprimido.

Pintar una habitación

Antes de empezar, las superficies que se pintarán han de estar bien preparadas. Prepare la pintura antes de utilizarla. Viértala en un cubo metálico o en una cubeta. Luego mezcle bien dando vueltas en diferentes sentidos con una varilla larga (agitador) para obtener un color uniforme y una consistencia homogénea.

Pintar una pared

La superficie debe estar lisa, llana y seca. Las partes que no haya que pintar se protegerán con cinta adhesiva. Es preferible trabajar de día, con luz natural.

Los principios básicos. Trabaje siempre con lógica. Es aconsejable trabajar de arriba abajo, avanzando a base de pequeñas superficies y empezando por una esquina (secuencia p. 40). Los diestros empezarán por la esquina derecha para ir avanzando hacia la izquierda. La mano izquierda podrá apoyarse en la pared antes de que se haya pintado.

En este salón, los colores contrastados estructuran y delimitan espacios con funciones muy definidas.

© Guittet

Empiece por pintar los ángulos de las paredes y del techo con una brocha y, seguidamente, continúe con el rodillo. Observará a menudo que hay una diferencia entre el aspecto que presenta la superficie donde ha pasado la brocha y el rastro que deja el rodillo. Para salvar este inconveniente, utilice un minirrodillo, ya que en uno de los extremos no tiene armazón, lo que permite pintar a ras de los ángulos, o un rodillo especial para esquinas cuyo manguito toque simultáneamente ambos lados de la esquina (foto p. 43).

La técnica que hay que seguir. Extienda la pintura en pasadas verticales con el rodillo. Cruce con pasadas horizontales para repartirla bien. Sin recargar el rodillo, alise verticalmente para retocar las franjas contiguas. No interrumpa nunca el trabajo a mitad de la pared; prosiga hasta llegar a una esquina. Con una esponja húmeda, limpie inmediatamente cualquier goteo. El número de capas depende del estado de la pared y del tipo de pintura, aunque pocas veces una sola capa es suficiente; es preferible superponer dos capas, o a veces incluso tres, para obtener un color uniforme y un aspecto homogéneo en la superficie.

Cómo pintar las paredes

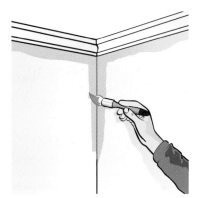

1. Empiece pintando las esquinas. Con una brocha, pinte los ángulos de las paredes y del techo en aquellas zonas donde el rodillo no puede llegar.

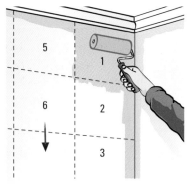

2. Cubra pequeñas superficies. Pinte con el rodillo unos cuadrados imaginarios, n° 1, 2, 3, etc., de 60 a 80 cm de lado. Cruce los movimientos, pero evite volver hacia atrás a cada momento.

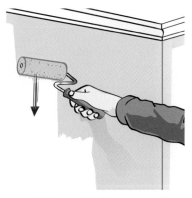

3. Trabaje verticalmente. Aplique la pintura con pasadas verticales, desplazándose la anchura de un rodillo hacia la izquierda y, después...

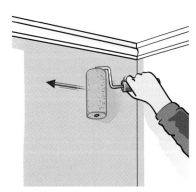

4. Repase horizontalmente. Vuelva a pintar la misma superficie describiendo movimientos horizontales.

5. Unifique el conjunto. Sin coger más pintura con el rodillo, pinte verticalmente para unificar los cuadrados imaginarios que ya ha recubierto.

6. Proteja el suelo. Para pintar los zócalos, deslice por debajo un cartón rígido y váyalo desplazando a medida que avance para no manchar el suelo.

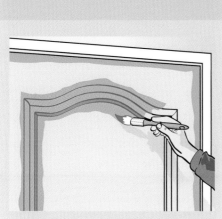

1. Empiece por pintar las molduras con una brocha para resaltar.

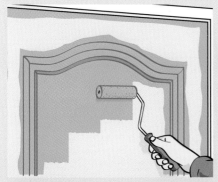

2. Reparta la pintura sobre los tableros con el rodillo y, después, alise con la brocha plana.

Pintar la madera

Desmonte todos los accesorios. El soporte debe estar en buenas condiciones y limpio; en caso contrario, efectúe la preparación necesaria. Conviene pintar todos los elementos de una sola vez para evitar los cambios. Trabaje siempre en el sentido de la madera.

Pintar una puerta

▶ Si es posible, quite la puerta de los goznes y extiéndala horizontalmente sobre dos caballetes. De este modo, tendrá mejor postura para trabajar y evitará que la pintura gotee.

▶ Pinte primero las molduras y los entrantes (croquis 1); después los largueros y los travesaños, y, finalmente, el tablero. Utilice un pincel redondo para las molduras y una brocha plana para las superficies planas, como el tablero.

▶ No cargue demasiado la brocha de pintura ni intente cubrir la superficie con una sola capa. Tendrá que aplicar dos o tres capas y dejar un tiempo de secado suficiente entre cada una de ellas.

▶ Para las superficies planas utilice un rodillo para extender la pintura (croquis 2). Sin embargo, será necesario alisar la última capa con la brocha plana para eliminar el granulado que deja el rodillo. Para las puertas lisas, sin molduras ni relieves, utilice un rodillo, cruzando las pasadas.

▶ No olvide pintar los cantos de las puertas, a pesar de que el canto superior y el de la base no sean visibles.

▶ Por último, pinte el marco y espere a que se seque antes de volver a colocar la puerta.

Las puertas y las maderas pintadas proporcionan un toque decorativo original en los interiores.

Cómo pintar una ventana

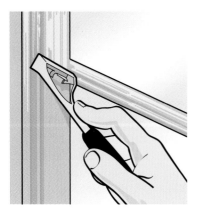

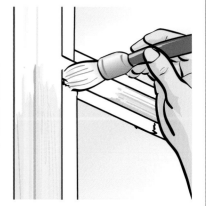

1. Prepare el soporte. Rasque los desconchados de la pintura con un raspador. Luego alise con papel de lija de grano grueso.

2. Proteja los cristales. Aplique meticulosamente en los bordes una cinta adhesiva de papel rizado para evitar manchar los cristales.

3. Pinte el bastidor y las molduras. Para los marcos de la ventana, utilice una brocha pequeña para resaltar. Después, cambie de brocha para pintar lo que falta.

Pintar una ventana. Empiece temprano por la mañana para poder cerrar la ventana por la noche, cuando la pintura se haya secado bien.

▶ Si es posible, desmonte las hojas de la ventana y colóquela plana sobre dos caballetes.

▶ Antes de empezar a pintar, proteja los bordes de los cristales y las juntas de estanqueidad (secuencia). Efectúe esta operación con cuidado para que la cinta siga perfectamente el borde del cristal.

▶ Empiece pintando el bastidor de cristal (el larguero alto en primer lugar), aplicando grandes pasadas horizontales con la brocha. Limpie las escurriduras y goteos. Cruce luego con pequeñas pasadas de brocha y alise.

▶ Pinte el travesaño inferior y, a continuación, si es el caso, los marcos que sujetan los cristales.

Pintar un radiador

No pinte nunca un radiador caliente, antes hay que cerrarlo y limpiarlo bien. Sin duda, es más fácil pintar un radiador desmontado; pero, en tal caso, habrá que vaciar el circuito de agua y esta tarea es mejor dejarla en manos de un profesional.

▶ Debajo del radiador, para proteger el suelo, extienda unos papeles viejos.

▶ Pinte la parte delantera con una brocha plana, pasándola de arriba abajo.

▶ Utilice una brocha especialmente indicada para pintar radiadores. Procure que no caigan gotas de pintura al interior.

▶ No utilice el radiador durante 48 horas, como mínimo.

▶ La pintura ha de penetrar entre la madera y el cristal. Limpie las rebabas con un trapo limpio que no deje pelusa antes de que la pintura llegue a secarse.

▶ Pinte los largueros dando largas pinceladas verticales con la brocha, cruce horizontalmente y alise verticalmente, sin insistir demasiado en los cantos ni en las juntas.

▶ Acabe con el marco fijo (el travesaño superior y la barra de apoyo inferior). Los herrajes se pintan al mismo tiempo que los largueros y los travesaños. Tenga precaución de no cargar de pintura los cajetines, los bordes de las fallebas ni las bisagras, ya que una

Utilice un pincel acodado para pintar los laterales y la parte posterior. También puede emplear un minirrodillo de mango largo, especial para deslizarlo entre los distintos elementos del radiador.

Existen rodillos especiales para pintar esquinas. También es adecuada la brocha para resaltar, con cerdas de forma cónica.

vez secos sería difícil cerrar la ventana. Limpie rápidamente la pintura del pivote de las bisagras.

▶ Rasque la pintura que haya quedado seca de los cristales con la hoja de un cúter o con una hoja de afeitar.

▶ Aguarde dos o tres horas para retirar la cinta; córtela con un cúter para no arrancar la pintura.

Pintar un zócalo

▶ Deslice un cartón rígido bajo el zócalo para proteger el suelo.

▶ Pinte y extienda a lo largo del zócalo con la brocha plana.

No aplique demasiada pintura a la superficie: es mejor dos o tres capas ligeras que una espesa.

▶ Deje secar entre capa y capa.

Si los trabajos duran varios días

Cada noche, al terminar, tape los botes de pintura y envuelva los pinceles y los rodillos con una hoja de aluminio doméstico o con una bolsa de plástico. Protegidas del aire, evitará que las herramientas se sequen en poco tiempo.

Ante todo, es preferible aclarar los pinceles y los rodillos. Sumérjalos en agua o en aguarrás (según el disolvente de la pintura usada) en un recipiente de media altura para evitar que las cerdas de la brocha se apoyen verticalmente sobre el fondo y lleguen a deformarse. Al día siguiente, después de escurrirlos, puede volver a usar pinceles y rodillos.

Tenga en cuenta que escurrir es un trabajo aburrido y, a menudo, difícil de realizar satisfactoriamente. Casi siempre queda disolvente en el pincel (o el rodillo) y la primera aplicación deja una pintura demasiado fluida que gotea: es una situación muy incómoda, sobre todo cuando se está pintando el techo.

Cuando el trabajo ha terminado, conviene lavar bien las herramientas. Deje secar las brochas colgadas verticalmente para evitar que se deformen: puede colgarlas, por ejemplo, de un grifo con una goma elástica.

Cómo pintar sin rebabas

1. Utilice una pantalla. Esta herramienta le ayudará a guiar el pincel a lo largo de las molduras estrechas. Deslícela a medida que avance con el pincel para extender la pintura.

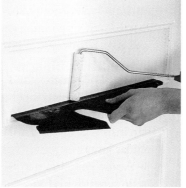

2. También puede utilizar la pantalla cuando pinte con rodillo. De este modo, podrá controlar mejor la superficie que desea cubrir, aunque no sea una zona estrecha o con molduras.

3. Si utiliza una cinta adhesiva como pantalla. Después de aplicar la última capa, retire la cinta adhesiva sin esperar a que la pintura se haya secado del todo.

Las pinturas decorativas

Distintos efectos decorativos

El arte de la pintura mural es muy antiguo y ha dado lugar a sorprendentes creaciones inspiradas en el mundo mineral y vegetal, jugando aquí y allá con efectos visuales. De hecho, todavía se pueden admirar hermosos ejemplos de paredes revestidas de mármol, piedra, madera, concha, hojas de acanto o de parra, con las texturas y las formas hábilmente imitadas. Solo los artesanos expertos son capaces de aplicar esta técnica, que requiere un largo aprendizaje y un pulso firme.

Los principios básicos y los productos necesarios

Actualmente, conseguir un efecto parecido al de los grandes artesanos es mucho más sencillo que antaño. Si quiere romper la uniformidad de las habitaciones de la vivienda, tiene a su disposición pinturas especiales, relativamente fáciles de emplear y con una presentación muy práctica. Con un trapo, un guante, un cepillo o una esponja no debe existir problema alguno para lograr el efecto deseado.

Si aplica una pintura de fondo de un tono generalmente claro y acabado mate, podrá añadir una pátina teñida de color y trabajar la superficie antes de dejarla secar. Según la técnica escogida y los utensilios utilizados, se obtienen superficies esponjadas, trapeadas, técnica del vaciado, efectos de desgaste, colores alterados, aspectos vaporosos, etc.

En general, el efecto decorativo se obtiene aplicando dos productos:

– una capa de fondo, que puede ser una pintura acrílica blanca o un barniz sin alisar;
– una ligera pátina de pintura transparente.

Si sustituye la pintura de fondo por un revoque sin alisar, aplicado con espátula, se conseguirá que la superficie adquiera relieves irregulares. La superficie así obtenida, tenga o no color, presentará tonos sorprendentes y, según el caso, adoptará una textura original.

Existen varios productos que, además de jugar con el color, juegan también con la textura y proporcionan efectos como, por ejemplo, el estuco veneciano y el enlucido a la cal.

Las pinturas a la cal, aplicadas en los interiores, proporcionan una atmósfera acogedora.

© BIOFA

En este salón, la pintura a la cal ofrece numerosas posibilidades decorativas.

Tradición y modernidad

El empleo de la cal se remonta a los primeros estadios de la civilización. Los restos arquitectónicos indican que su empleo estaba muy extendido en la antigüedad. La cal grasa que en aquellos tiempos se obtenía se empleaba en la construcción y en la elaboración de pinturas y de colores minerales para los frescos.

A lo largo de los siglos, las técnicas de la cal se fueron perfeccionando. Se trata de uno de los componentes principales del estuco, que sirve para realizar acabados que imitan el mármol.

Su declive se inició cuando aparecieron los morteros artificiales y se acentuó con la introducción del cemento a gran escala. En la actualidad, gracias a la renovación de los materiales naturales, la cal ha vuelto a pasar a un primer término.

Estuco veneciano. Especialmente indicado para las paredes en mal estado, oculta y disimula los defectos gracias a su consistencia gruesa, de dos a tres milímetros. Es fácil encontrar, en tiendas especializadas, productos preparados, listos para emplear, y productos para preparar. Estas pinturas se aplican con el fratás (o llana) o directamente con la mano. En tanto que su aspecto final es irregular, incluso los novatos pueden conseguir efectos decorativos interesantes.

Enlucido a la cal. En los últimos tiempos, esta técnica ha recuperado cierto protagonismo, puesto que no deja manchas blancas cuando se pasa la mano sobre una superficie encalada. Se obtiene por cocción de roca caliza (calcinación) en hornos especiales, a una temperatura aproximada de 900 ºC.

La cal posee propiedades aislantes (térmicas y acústicas) naturales. Es poco sensible a las variaciones climáticas y soporta bien el hielo. Es un producto barato y ofrece un excelente rendimiento volumétrico. Muy agradable de trabajar por su consistencia untuosa, se adhiere a todo tipo de materiales y conserva durante mucho tiempo una flexibilidad que le permite absorber los movimientos del soporte. No obstante, conviene verificar que el soporte es estable, de lo contrario, será preciso aplicar previamente una capa de fijador.

La cal, al igual que el estuco veneciano, puede utilizarse con y sin colorantes. Para obtener color, se añaden pigmentos o preparaciones con color. Es necesario aplicar dos capas sucesivas, diluidas en distinta proporción.

Los morteros a base de cal endurecen lentamente (varias semanas). Esto, que en principio podría parecer un inconveniente, es, de hecho, una ventaja, ya que permite preparar grandes cantidades sin que la mezcla llegue a estropearse.

© TOLLENS-LAFARGE

1. El vaciado a la cal es una pintura al agua que se aplica directamente sobre el enlucido con una esponja de mar.
2. Efecto brocha.

El yeso. El yeso, de origen natural, es un material respetuoso con el entorno. No es tóxico, es reciclable y, tanto en su fabricación como en su empleo en la construcción, consume poca energía. Al igual que la cal, es un buen aislante térmico y acústico. En los interiores, el yeso de enlucir presenta unas superficies lisas dispuestas para ser decoradas. También se puede teñir y utilizar como revestimiento decorativo. Para el enlucido en interiores se utiliza habitualmente el yeso manual tradicional. Los fabricantes ofrecen, asimismo, yesos rebajados fáciles de aplicar, yesos para pintar con pistola, yesos teñidos de color, etc.

La pátina. Es una capa de color transparente que da brillo a los colores que ya recubren una superficie. Puede ser de dos tipos: a base de agua o de aceite. La pátina de agua se emplea con acabados al agua y se diluye también con agua; la pátina al óleo se emplea con acabados al aceite y se diluye con disolvente (aguarrás). Hay pátinas transparentes y de colores. En las tiendas especializadas pueden adquirirse pátinas listas para usar o para preparar a gusto del consumidor.

Antes de aplicar la pátina, puede preparar la superficie con una primera capa de pintura gliceroftálica satinada de color claro, que servirá como base. Sobre esta, se aplica la pátina con brocha por toda la superficie; a continuación, utilice sin pérdida de tiempo una esponja, un trapo, un guante de plástico o de caucho de tamaño apropiado, un cepillo o cualquier otro instrumento que resulte adecuado para conseguir el acabado final que se desea. Antes de proceder, se recomienda hacer algunas pruebas sobre una superficie similar.

Obtener una pátina tradicional:

▶ Mezcle un 75 % de esencia de trementina con un 25 % de aceite de linaza.

▶ Añada unas gotas de secante por cada litro de mezcla y los pigmentos colorantes que desee. Para una pátina transparente, utilice una mezcla de aceite de linaza y aguarrás a partes iguales. Si prefiere una mezcla a base de agua, deberá trabajar más rápido, puesto que el tiempo de secado se reduce considerablemente. La pátina al óleo, por el contrario, deja más tiempo para trabajar.

Obtener una pátina al agua:

▶ Mezcle un volumen de pintura acrílica o vinílica mate con tres volúmenes de agua.

▶ Para obtener el color deseado, puede sustituir los pigmentos por gouache artísticos.

Crear efectos decorativos

Las pinturas y los barnices especializados, inspirados en los revocos antiguos, ofrecen un amplio abanico de composiciones y de colores. Estas preparaciones especiales están destinadas a los aficionados para que puedan lograr efectos decorativos atractivos utilizando herramientas fáciles de manejar.

Son revestimientos cuya aplicación requiere cierta habilidad manual, independientemente del método indicado por el fabricante. Es preferible aplicar al final una capa de barniz para dar más profundidad a los colores y para proteger el revestimiento. Las operaciones requieren, en conjunto, bastante más tiempo de aplicación que una pintura convencional.

© BIOFA

A una gran variedad de materiales, hay que sumar la diversidad de colores para decorar una pared con efectos que pueden ser muy diversos.

© TOLLENS

Pruebas indispensables

Antes de pintar una habitación, efectúe algunos ensayos sobre unas hojas grandes de papel (o una tabla de madera) para familiarizarse con los productos y con las herramientas. De este modo, podrá comprobar que, a veces, es difícil reproducir un mismo motivo sobre una superficie logrando mantener la misma densidad de color. Algunos productos se secan en pocos minutos, mientras que otros requieren varias horas: tenga en cuenta los tiempos de secado, pues son los que determinarán su ritmo de trabajo. Las herramientas adecuadas para estas técnicas decorativas (rodillo, espátula, brocha, tampón, fratás, brocha de vetear, etc.) no son tan fáciles de manejar como un simple pincel. Cuando domine la técnica, podrá avanzar en pequeñas superficies de 2 a 3 m². Deberá tener especial cuidado con las uniones entre las diferentes zonas. Procure que, al terminar la jornada, no tenga que detenerse en medio de una pared, ya que luego podría ser complicado reanudar el trabajo sobre un revestimiento que, al secarse, ha cambiado de aspecto.

Los efectos de jaspeado del estuco

Esta composición, especialmente elaborada, imita el estuco, un recubrimiento muy de moda en la Roma antigua. Aquellos que aprecian los matices brillantes del mármol y el refinamiento de los interiores italianos apreciarán esta posibilidad.

En esta técnica es fundamental manejar con destreza la espátula para que el bruñido (el frotamiento de una espátula o llana sobre la pintura seca) proporcione a la superficie un acabado con contrastes mates y brillantes.

Alisado. Después de aplicar una primera capa especial con el rodillo, deberá alisar la superficie con una espátula o una llana. Este producto permite trabajar sin prisas antes de que se seque.

Espatulado. La segunda operación consiste en un espatulado, es decir, en depositar pequeñas bolitas de producto del tamaño de una avellana que inmediatamente deberá aplastar con la hoja de la espátula.

Para ello, deberá hacer aplicaciones cortas y muy juntas, variando el sentido y el desplazamiento de la espátula.

El espatulado ha de ser alterno, imitando una sucesión irregular de pequeñas superficies yuxtapuestas, como las piezas de un mosaico.

Bruñido o abrillantado. Cuando la superficie esté completamente seca, el paso siguiente será bruñirla. Con una espátula limpia y seca, frote la pintura de aspecto mate para hacer que brille. Frote varias veces en el mismo lugar y, a continuación, cambie la orientación de la espátula para hacer aparecer otra zona brillante.

Esta yuxtaposición de zonas mates y zonas brillantes crea una leve variación monocroma que imita el aspecto jaspeado de los estucos.

Efecto jaspeado que imita los estucos de la antigüedad.

Crear un efecto jaspeado

1. Aplique una capa de producto de «efecto especial». Proceda a empastar la superficie homogéneamente con la ayuda de un rodillo texturado.

2. Alise la superficie toscamente. Con una espátula de plástico, borre aquí y allá las marcas que ha dejado el rodillo. Cambie frecuentemente la dirección de la herramienta.

3. Tras el secado, desgrane (pula) la superficie con una hoja metálica. Con una espátula, aplique una segunda capa de producto, que deberá estar seca antes de bruñirla de modo irregular con la misma herramienta.

El yeso encerado

El yeso, muy apreciado por su aspecto suave y grano fino y luminoso, aporta a las paredes textura y consistencia. El resultado dependerá, sin embargo, de su preparación y, sobre todo, de su habilidad. Porque, en efecto, tendrá que saber manejar correctamente la alisadora o la espátula ancha.

Aplicación. Prepare el yeso con masilla de empastar (20 %) y añada los pigmentos. Agregue esta mezcla en el agua y remueva bien para obtener una pasta homogénea (puede utilizar un mezclador de barniz). Aplique esta preparación a la pared con una alisadora o una espátula ancha. Realice esta operación con mucho cuidado, ya que la carga que deposite no debe sobrepasar de 2 a 5 mm de espesor. Cuando el yeso comience a estar ligeramente seco (solo la superficie), mójelo con

El tadelakt

Muy de moda en la actualidad, el tadelakt es un enlucido de cal que proviene de una tradición marroquí ancestral. Fabricado a partir de la cocción de bloques de caliza de la región de Marrakech, esta cal, muy especial, se encuentra en varios colores. Se utiliza para paredes, suelos, fachadas y hasta objetos, y puede aplicarse también en cuartos de baño, ya que soporta unos índices de humedad considerables. Se aplica igual que cualquier otro enlucido. La única diferencia consiste en que el apretado (operación que consiste en apretar el revestimiento cuando aún no está seco con el fin de pulirlo) se hace con rodillo y los desplazamientos son circulares.

La combinación de las influencias mediterránea y oriental, unificadas por un camafeo de azules intensos, crea una atmósfera serena y relajante.

una esponja. A continuación, vuelva a pasar la alisadora apoyando con fuerza sobre el yeso para aplastarlo y darle un bello pulimento.

La cera saponificada. Transcurridas 12 horas de secado, como mínimo, puede aplicar la cera. Una cera saponificada es una cera diluida en agua. Puede mezclarse con pintura sin que pierda las propiedades de la cera. Tiña la cera con pigmentos. Aplíquela sobre una pared con una brocha plana ancha. Puede lim-

Para preparar la cera saponificada, hierva agua con 100 g de cera blanca y añada luego 30 g de carbonato de amonio, previamente disueltos en un vaso de agua. Cuando empiece a hervir, déjelo al fuego un rato más sin dejar de remover. A los pocos minutos, apague el fuego. Esta cera se conserva muy bien en un recipiente bien cerrado.

piarla inmediatamente con un trapo para disimular las pasadas de la brocha. Si lo cree conveniente, puede repetir la operación y aplicar una segunda capa. Cuando la cera esté bien seca, dele brillo con un trapo de algodón.

Puede utilizar esta misma técnica sustituyendo el yeso por un revestimiento mixto al aceite y mezclando con un producto de alisado en polvo (aproximadamente, 20 %). Una vez seco, pula ligeramente con papel de lija y aplique una pátina acrílica teñida, que sustituye a la cera. Seque la pátina con un trapo y, después de un secado rápido, pula cuidadosamente con un papel de lija de grano fino.

La técnica del vaciado

Esta técnica requiere superponer dos o tres capas de pintura para crear efectos de difuminado y conseguir una transparencia comparable a la de una veladura (abajo). El aspecto decorativo puede obtenerse con una manopla de piel de cordero, una esponja, una brocha de puntear, una brocha plana, un trapo, etc. Cada herramienta produce un dibujo determinado.

Prepare la superficie. Debe ser regular, seca y dura. Antes de empezar, aplique una capa de pintura acrílica blanca con un rodillo. Deje secar y endurecer durante 12 horas.

Aplique una primera capa de acabado con color. Con la ayuda de un rodillo de pelo corto, cubra una superficie de 2 a 3 m².

Sin esperar, seque el acabado. Pase una manopla con un movimiento delicado, apoyándola a trechos para borrar el color y crear zonas de transparencia, a través de las cuales se podrá percibir la imprimación blanca. Deje secar durante 12 horas como mínimo. Si el efecto de matizado que ha conseguido le parece insuficiente, aplique una segunda capa de acabado del mismo tono (o de un tono complementario) y «trabaje» la superficie como ha hecho antes con la manopla.

© Seigneurie

Esta pintura de tonos cálidos, a la que se ha aplicado la técnica del vaciado, proporciona un aspecto satinado y suave.

Crear un efecto de textura

© GUITTET

1. Empaste generosamente la pared con un rodillo de manga con textura. Calcule 1 kg de pintura para cubrir 5 m² con una capa homogénea. Deje secar durante 6 horas como mínimo antes de decorar.

2. Utilice una brocha de vetear ancha. Aplique la segunda capa dando pinceladas aquí y allá, en diferentes direcciones cada vez y depositando cantidades distintas de material para obtener un acabado distinto.

3. Alise la superficie con una espátula de plástico flexible. Puede empezar una vez transcurridos entre 10 y 15 minutos, sin aguardar el secado. Aplaste la pintura y formará unas manchas con efectos jaspeados.

La pintura con texturas

Se trata de un producto de dos capas compuesto de pinturas al agua, cuya superposición crea efectos difuminados en colores en bruto tomados de los materiales naturales: piedra, tierra, roca, cobre, etc. (secuencia).

La pasta decorativa: un trabajo para el fin de semana

La pasta decorativa se aplica con el fratás sobre un espesor de 2 o 3 mm y sobre todos los soportes clásicos (yeso, madera, cemento, aglomerado, etc.). Es un producto al agua, inodoro y que se prepara justo antes de ser aplicado (1 bote de 10 kg cubre de 10 a 12 m²). Un fin de semana es suficiente para decorar una habitación.

Esta pasta tapa agujeros y grietas, y recubre las paredes suavizando las aristas muy vivas. Se puede usar durante 6 horas, de modo que hay tiempo suficiente para extender los 10 kg de pasta. Puede alisar la superficie o «trabajarla» y darle un relieve describiendo movimientos irregulares con el fratás. En caso de fallos, no dude en repararlos: los retoques que se efectúen antes de que la pasta se haya secado, luego son invisibles. Deje secar y endurecer durante una semana.

El fin de semana siguiente, aplique una capa de cera con la esponja para que el revestimiento sea lavable y para acentuar el aspecto difuminado de los relieves que imitan el desgaste y la pátina de las paredes de antes.

Estas pinturas con texturas son inodoras. Tienen un aspecto mate satinado y un tiempo de secado relativamente corto. La superficie debe estar limpia. Avance en pequeñas superficies de 2 a 3 m². Aplique una primera capa de pintura de un tono claro.

Los efectos de textura se obtienen con la segunda capa de pintura, cuya fluidez y color son distintos de la capa de fondo.

No cargue demasiado la brocha de vetear. Trabaje con la mano ligera, como para quitar el polvo de una superficie.

El estarcido

Las cenefas son plantillas adhesivas que permiten pintar el motivo que ha elegido sobre cualquier superficie que esté limpia, lisa y seca. Se trata de una operación delicada. Sobre una pintura reciente, asegúrese de que la última capa esté perfectamente seca y dura.

La pintura de color amarillo oro con efectos de textura matiza la luz cenital que baña este salón de música.

▶ Trace unas marcas horizontales con un nivel de burbuja para situar la cenefa.

▶ Presione la cenefa adhesiva con un trapo. Con la otra mano, presione con una espátula para eliminar las burbujas de aire.

▶ Retire la cinta protectora. Cuando la cenefa quede perfectamente adherida al soporte, tire ligeramente en diagonal hacia abajo.

▶ Proceda a pintar con un minirrodillo. No lo cargue demasiado de pintura, ya que la aplicación debe ser ligera para evitar los goteos y conferir a la pintura un aspecto difuminado. Retire la cenefa adhesiva inmediatamente después de terminar la aplicación.

Papeles pintados
y telas murales

Los papeles pintados

La elección de los papeles pintados

El arte del papel pintado, que se puso de moda en el siglo XVI, se ha beneficiado con el paso del tiempo de los avances técnicos de la impresión y ha recibido la influencia de grandes corrientes artísticas hasta convertirse en un elemento que ofrece múltiples posibilidades en la decoración de interiores. Liso, estampado, plastificado, metalizado, con acabados de terciopelo, madera o mármol, el papel pintado ofrece tal variedad de diseños que a veces, incluso, hemos llegado a preguntarnos por su verdadera naturaleza.

Diferentes tipos de papel pintado

La gama de productos que ofrecen los fabricantes abarca desde el papel blanco para pintar, que se emplea para unificar una superficie precaria, a la panorámica mural que cubre tira a tira la superficie de toda una pared. A eso hay que añadir las cenefas que se pegan sobre el papel, una vez que este se ha colocado, para resaltar el techo, una moldura o el marco de una puerta o de una ventana.

© GRAHAM & BROWN

Papel pintado... ¡para pintar! Los niños ya pueden al fin hacer sus dibujos en la pared.

Los papeles pintados presentan tal diversidad de texturas y colores que resulta difícil clasificarlos. No obstante, podemos distinguir tres categorías principales:

Los papeles pintados tradicionales. Lisos o con motivos en color, pueden ser finos y ligeros o, por el contrario, gruesos, es decir, forrados o estampados. Este tipo de papel pintado es el más antiguo y se encuentra en todos los comercios al detalle que se dedican a los revestimientos de interiores, desde el más modesto hasta las grandes superficies especializadas. La gran variedad de motivos y la amplia gama de tonos permiten utilizarlos en todas las habitaciones del hogar.

Los papeles con relieve. Su originalidad aporta una nota de fantasía o de exotismo, que se agradece cuando se buscan nuevas texturas. La amplia variedad de este tipo de papeles contribuye a crear ambientes originales, en función de su gusto y el tipo

Muestras de papeles con relieve.

Un papel elegante y refinado que proporciona reflejos dorados mates y brillantes.

de soporte: texturas que imitan el terciopelo o el ante, contracolados recubiertos de una hoja metalizada o de corcho, etc.

Los papeles vinílicos. Son papeles recubiertos de una capa de vinilo estampada a color, expandida en caliente o con tintas especiales. La superficie de este tipo de papeles suele tener relieve y es impermeable, lo que los hace especialmente indicados para cocinas y cuartos de baño. Son, por lo tanto, papeles lavables, y los más modernos tienen tratamientos antimanchas, antimoho y antibacterias.

Se distinguen tres tipos de revestimientos vinílicos:

– Los tejidos vinílicos llevan un baño vinílico sobre un soporte que puede ser tejido o sin tejer. Lisas o en relieve, sus superficies llegan a imitar las pinturas decorativas hasta el punto de confundirse. Estos tejidos tienen la ventaja de que la colocación es mucho más rápida.

– Las espumas vinílicas, más gruesas, disimulan los pequeños defectos de las superficies, por lo que son apropiadas para soportes antiguos. Al ser flexibles, se amoldan a las pequeñas irregularidades del soporte, pero son menos resistentes que los tejidos vinílicos y más propensas a desgarrarse.

– Los vinilos compactos, de gran resistencia, están compuestos por un soporte no tejido sobre el que se coloca el material vinílico sólido (que no es una espuma). Esta técnica permite realizar sorprendentes imitaciones de determinados materiales (por ejemplo, azulejos) gracias al relieve y a la precisión de los motivos que se obtienen por este procedimiento.

Los revestimientos vinílicos se presentan en rollos de dimensiones variables, generalmente más grandes que los rollos de papel pintado.

 En el momento de escoger un papel vinílico, consulte el modo de empleo: en función de la anchura de las tiras y del procedimiento que deba seguir para encolar, puede que sea mejor contar con la ayuda de alguien.

Saber elegir bien

La elección del papel pintado se basa, como es lógico, en el color y el motivo deseados. No obstante, es conveniente tener en cuenta también otras características, como la técnica de colocación, el tipo de mantenimiento y, por supuesto, el despegado.

Los símbolos que debe conocer. En el reverso de los revestimientos aparecen unos símbolos cuyo significado nos proporciona la información necesaria para describir las características del material: resistencia a la luz, el tipo de lavado, modo de empleo, así como las posibles dificultades que pueden presentarse durante su colocación (tabla inferior).

Preste atención al símbolo que indica el modo de despegar el papel: con un revestimiento que se pueda arrancar en seco, por ejemplo, le será muy fácil cambiar de decoración siempre que lo desee.

Las dimensiones. El papel tradicional, liso o con motivos, se presenta en rollos de dimensiones estándar (0,53 m de ancho por 10,05 m de largo). Los lados no tienen márgenes; esto significa que se recortan durante el proceso de fabricación para obtener un rollo de papel con dos orillos perfectamente paralelos. Esta disposición permite pegar las tiras una junto a otra, sin que sea necesario que se solapen. Los papeles vinílicos y los revestimientos menos tradicionales, como los papeles con relieve, no tienen medidas estandarizadas. Es decir, encontrará una gran variedad de tamaños.

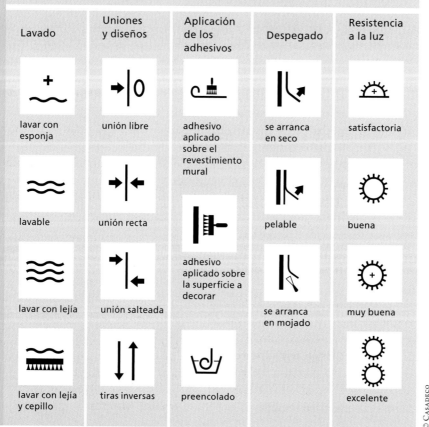

Símbolos impresos en el reverso de los catálogos de presentación de los revestimientos

Lavado	Uniones y diseños	Aplicación de los adhesivos	Despegado	Resistencia a la luz
lavar con esponja	unión libre	adhesivo aplicado sobre el revestimiento mural	se arranca en seco	satisfactoria
lavable	unión recta	adhesivo aplicado sobre la superficie a decorar	pelable	buena
lavar con lejía	unión salteada	preencolado	se arranca en mojado	muy buena
lavar con lejía y cepillo	tiras inversas			excelente

Contrastes acentuados y colores frescos para este rincón parecido a un jardín.

© CASADECO

Esta combinación de papeles pintados aporta alegría y delicadeza a la habitación de una niña.

Calcular las cantidades. Para calcular el número de rollos que necesitará, puede proceder del siguiente modo:

▶ Mida el perímetro de la habitación y reste del total la anchura de las grandes aberturas, por ejemplo, un ventanal acristalado.

▶ Anote la anchura de los rollos del revestimiento que ha elegido.

▶ Divida la anchura que hay que empapelar por la anchura de un rollo para saber el número de tiras que tendrá que colocar.

▶ Mida la altura del suelo al techo y calcule el número de tiras que puede conseguir con un rollo entero.

El número de tiras necesarias para empapelar la habitación, dividido por el número de tiras que salen de un rollo, da el número de rollos que hay que comprar.

Este cálculo solo es válido para los revestimientos lisos o los papeles pintados sin uniones. Cuando hay motivos que han de casar, es imposible cortar cuatro tiras por cada rollo; solo salen tres. Según el motivo que hay que hacer coincidir, es preciso adquirir uno o dos rollos más.

Cuando efectúe la compra, compruebe que todos los rollos lleven el mismo código. Además, anote las referencias del papel porque serán indispensables si necesita comprar más rollos.

¿Cuántos rollos?

Cálculo de los rollos de papel pintado necesarios en función del perímetro que haya que empapelar. Esta tabla aplica el método de cálculo descrito en el texto. Los valores indicados solo son válidos para los papeles pintados sin unión. Para los revestimientos con motivos, encargue uno o dos rollos suplementarios.

Número de rollos (r) según el perímetro que haya que cubrir (en m)

Altura a tapizar	10 m	11 m	12 m	13 m	14 m	15 m
de 2 a 2,40 m	5 r	6 r	6 r	7 r	7 r	8 r
de 2,50 a 3,20 m	7 r	7 r	8 r	9 r	9 r	10 r
Altura a tapizar	16 m	17 m	18 m	19 m	20 m	21 m
de 2 a 2,40 m	8 r	9 r	9 r	9 r	10 r	10 r
de 2,50 a 3,20 m	11 r	11 r	12 r	12 r	13 r	14 r

Ejemplo:

En una habitación de 5 x 4 m, con una altura de techo de 2,50 m y un ventanal de 3 m de ancho, el perímetro que habrá que empapelar es de: (5 + 4) x 2 = 18 − 3 = 15 m.

Con rollos de papel pintado de 0,53 m de ancho, hay que utilizar 15 : 0,53 = 28,3, es decir, 29 tiras para tapizar todas las paredes.

Si el rollo de papel mide 10,05 m de largo y la longitud de las tiras que habrá que cortar es de 2,50 m (altura del techo), podrá cortar 10,05 : 2,5 = 4 tiras por rollo.

El número total de tiras que hay que colocar (29) dividido por el número de tiras de un rollo (4), dará como resultado el número de rollos que hay que comprar: 29 : 4 = 7,25, es decir, 8 rollos.

Atención: Cuando compre los rollos, compruebe que todos tengan el mismo código. Dicho código corresponde al número de baño, con lo que evitará los cambios de matiz, muy antiestéticos, sobre todo en los papeles pintados lisos.

La normativa: La etiqueta impresa en un revestimiento mural garantiza la fiabilidad de las informaciones en cuanto a las dimensiones indicadas, el lavado, las uniones, el tipo de cola que se debe emplear y el modo de aplicación, el despegado, la resistencia a la luz con un índice mínimo de 4 (sobre una escala de 4 a 7), la resistencia a la tracción y algunos aspectos medioambientales.

Sorprendente efecto de relieve, exclusivamente gráfico, en este original papel pintado.

Una combinación de estampados y matices rosa, ciruela y violeta para una habitación muy romántica.

Según la normativa, se considera «esponjable» un revestimiento mural del que se pueden eliminar los restos de cola con una esponja húmeda durante la colocación sin estropear el revestimiento (siempre que se lleve a cabo mientras la cola esté húmeda).

Un revestimiento se considera «lavable» cuando se pueden eliminar ciertas manchas empleando un trapo húmedo y agua con jabón. Las manchas grasas serán indelebles prácticamente en todos los casos.

Un revestimiento se considera que es «lavable y se puede cepillar» si las manchas de base acuosa se pueden eliminar con un cepillo y un detergente suave. Las grasas, aceites y disolventes también desaparecerán fácilmente si se limpian enseguida.

Si el revestimiento es lavable, puede tener un mantenimiento regular con agua y jabón para que conserve su frescor y eliminar, sobre todo, las marcas de suciedad que aparecen habitualmente cerca de los radiadores y las ventanas.

Las cenefas

Las cenefas le ayudarán a hacer más agradable la decoración: aportan ritmo a los volúmenes de la estancia y crean interesantes efectos en forma de cornisas, molduras o marcos de las aberturas. Algunas cenefas son autoadhesivas y se pegan sobre el papel pintado o directamente sobre la pared. Puede modernizar una estancia que no se haya renovado en varios años con solo poner una cenefa.

Colocación del papel pintado

El papel pintado ofrece unas gamas extraordinariamente ricas de colores, motivos y texturas. Además de los criterios estéticos, un papel pintado también se elige en función de la habitación a la que se destina (sala de estar, cocina, etc.).

Preparación de las paredes

Compruebe que las paredes estén en buenas condiciones, limpias, lisas y planas, sin asperezas, agujeros ni desconchados producidos por la humedad.

▶ Antes de empapelar, retire todos los ganchos a los que están fijados los cuadros, las estanterías y los espejos. Si piensa dejarlos luego en el mismo lugar, antes de colocar el papel introduzca en los agujeros unos palillos que le sirvan de referencia.

▶ Si renueva la instalación eléctrica, deje sin colocar las placas de los interruptores y los apliques.

▶ Prepare la cola según las indicaciones del fabricante, sin grumos, y déjela reposar, aproximadamente, 30 minutos.

▶ La primera tira que se coloca es fundamental, ya que de ella depende el resultado final. Puede empezar, por ejemplo, cerca de una ventana: trace una línea perfectamente vertical con una plomada, a unos 50 cm de una esquina o de la misma ventana. Esta línea será la guía para colocar la primera tira.

Distintos tipos de uniones

Unión libre. Si no tiene mucha experiencia en colocar papel pintado, elija un papel sin unión, es decir, con tiras que puedan colocarse una al lado de otra sin que sea preciso hacer encajar un determinado dibujo o motivo.

Unión recta. Esta mención seguida de una medida en centímetros significa que el motivo se repite cada x centímetros y que hay que ajustar las tiras una con respecto a otra para que todos los motivos queden alineados horizontalmente.

Unión salteada. Esta mención seguida de una indicación en centímetros significa que los dibujos se repiten cada x centímetros y que hay que desplazar verticalmente cada tira para que los motivos concuerden con el que les precede. De este modo, todos los motivos del papel se encontrarán formando líneas oblicuas.

Tiras alternas. Esta mención significa que hay que pegar el revestimiento colocando las tiras de papel en dirección opuesta. Esta precaución es útil con materiales naturales que no presentan un aspecto uniforme, como las pajas japonesas. El hecho de invertir una tira de cada dos minimiza las diferencias de tonos y proporciona a la superficie una uniformidad agradable a la vista.

Cortar las tiras

Corte todas las tiras antes de empezar para no perder tiempo cuando ya esté empapelando. Deje siempre unos 5 cm por arriba y por abajo para proceder después a los ajustes necesarios y corregir errores.

El espíritu de la década de 1970 renace con esta combinación sabiamente estudiada a base de colores ácidos, líneas rectas y formas curvas, en la que todo se opone y se complementa.

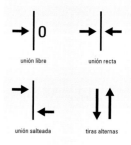

unión libre   unión recta

unión salteada   tiras alternas

Recuerde que tendrá que hacer coincidir los motivos: puede numerar las tiras en el dorso para marcar el orden de colocación. Todas se fijan –es decir, se pegan– en la misma dirección. Si es necesario, marque con una cruz la parte superior de cada una de ellas para no equivocarse, sobre todo si se trata de una unión salteada. Para las alternas, en cambio, no olvide cambiar el sentido.

La elección de la cola depende del tipo de papel pintado. No se puede emplear cualquier cola sobre cualquier tipo de papel, porque se arriesga a ver cómo se despega rápidamente. Respete las indicaciones del fabricante, especialmente en lo que al tiempo de impregnación se refiere.

Encolado

Extienda una tira de papel sobre la mesa, dejando que sobresalga algunos milímetros para poder encolar el papel hasta el extremo (secuencia).

▶ Extienda con la brocha una capa abundante y uniforme de cola sobre la primera mitad de la tira de papel. Empiece por el centro y vaya avanzando hacia los bordes. En esta última parte, insista con la brocha. Vaya con cuidado para que la cola no entre en contacto con la cara decorada del papel. Si cae cola de la mesa, límpiela inmediatamente con una esponja mojada antes de coger la otra tira.

▶ Doble la parte encolada sobre sí misma, cola contra cola, sin aplastar el pliegue que se forma y, a continuación, encole la segunda mitad.

▶ Deje que el papel se vaya impregnando durante unos minutos. Este tiempo varía en función del grosor del papel pintado: calcule de 2 a 5 minutos para los papeles ligeros y medios, y entre 10 y 15 minutos para los más gruesos. El tiempo deberá ser el mismo para todas las tiras.

▶ Prepare unas tiras para que la cola impregne el papel.

Atención: Según la calidad del papel y de la cola, es posible prolongar o reducir el tiempo de impregnación.

Encolar el papel pintado

1. Extienda bien plano el rollo de papel sobre la mesa de encolar. Córtelo en función de la altura del techo.

2. Encole uniformemente la primera mitad de la tira. Parta del centro para ir extendiendo la cola hacia los bordes. A continuación, proceda a encolar la otra mitad.

3. Doble la tira encolada sobre sí misma. Evite manchar de cola el lugar de trabajo. Doble de nuevo por la mitad la parte encolada para formar una especie de paquete listo para empapelar.

La colocación

La primera tira. Súbase a una escalera o un escabel. Sujete la parte superior de la tira por las esquinas y deje que se despliegue (secuencia).

▶ Coloque el papel en lo alto de la pared, manteniendo plegada la mitad inferior de la tira.

▶ Doble la parte superior de la tira unos centímetros. Siga la arista del techo con la punta de las tijeras para marcar el papel y luego córtelo. Elimine el recorte y pegue el papel: ha de amoldarse a la línea del techo.

▶ Cuando haya colocado la primera tira de papel, desplace un cúter bien afilado protegiendo el adorno para recortar el límite. Seque el zócalo con una esponja húmeda.

Colocación de la primera tira

1.Trace una línea de guía perfectamente vertical. Puede utilizar una plomada o bien una regla y un nivel de burbuja. Marque en la pared una línea con el lápiz de arriba abajo, que será la referencia para la colocación del papel.

2. Pegue la primera tira. Sujétela por las dos esquinas y colóquela en la parte superior de la pared. Alinee el borde del papel con la línea de guía. Alise la parte superior y, a continuación, despliegue la mitad inferior de la tira.

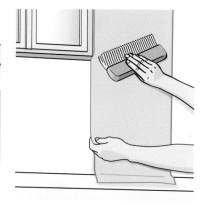

3. Alise la superficie del papel de arriba abajo. Utilice un cepillo de empapelar. Desplácelo en diagonal, primero a la izquierda y luego a la derecha, realizando una serie de movimientos en zigzag.

4. Marque el borde de la tira que toca a la ventana. Con la punta de las tijeras, haga los cortes necesarios (pequeños) para evitar que el papel se doble o se rompa.

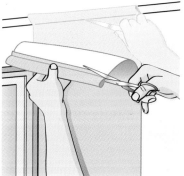

5. Marque el extremo superior de la tira a lo largo del techo. Despegue ligeramente el papel y corte el sobrante con las tijeras. Coloque otra vez el papel en su lugar y, sin perder tiempo, limpie las manchas de cola.

6. Alise la superficie. Pase de nuevo el cepillo de empapelar para eliminar pequeñas imperfecciones (pliegues, burbujas...). Repase bien las partes que ha recortado antes.

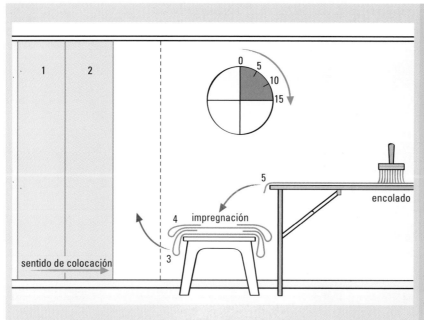

Cuando coloque el papel pintado, conviene dejarlo un tiempo en reposo para que la cola vaya empapando el papel (de 5 a 15 minutos, según la calidad del revestimiento). La mejor forma de hacerlo es colocar entre la pared y la mesa de encolar un taburete, que le servirá para ir depositando las tiras recién encoladas. Cuando esté pegando la tira n° 2, las tiras 3 y 4 estarán en el taburete impregnándose; luego encole la tira n° 5, que a su vez dejará con la n° 4 en el taburete mientras coloca la n° 3 en la pared.

La segunda tira. Coloque la segunda tira junto a la primera de la misma forma, prestando atención para que la junta case bien y los motivos decorativos queden también bien alineados (secuencia).

▶ Si la unión entre las dos tiras de papel no queda bien encolada, levante ligeramente el borde y añada un poco de cola utilizando un pincel fino. Si la tira está mal colocada, despéguela y colóquela de nuevo borde contra borde.

▶ Con una esponja húmeda elimine la cola sobrante sin esperar a que se seque.

▶ Repase la unión de las dos tiras. Pase un rodillo de encolar para asegurar la adherencia de la unión (foto 1 de página siguiente).

Colocación de las tiras siguientes

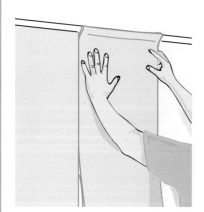

1. Coloque la segunda tira. Si hay motivos estampados, deberá prestar atención al casarlos. El borde de la tira anterior le servirá de guía para alinear la siguiente. Limpie los restos de cola que queden en la junta.

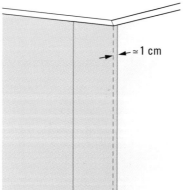

2. En las esquinas, no pegue la tira entera entre las dos paredes. Corte la anchura equivalente a la distancia que va a tapizar, dejando un centímetro de más para la esquina. Coloque esta pieza cortada y, a continuación...

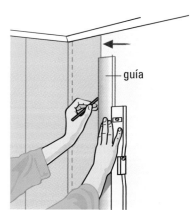

3. ...trace de nuevo en la pared otra línea de guía vertical. Cada vez que vaya a cambiar de dirección, antes de encolar la segunda parte de la tira, trace una nueva línea de guía. No se fíe nunca de la verticalidad de las paredes.

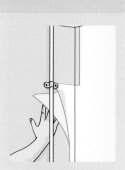

3. Para colocar el papel por detrás de un tubo, hay que doblar hacia atrás el borde de la tira.

Para no manchar el techo. Doble la parte superior de la tira unos centímetros hacia fuera. Resiga la arista del techo con la punta de las tijeras para marcar el papel; a continuación, córtelo por la parte marcada. Elimine el recorte y encole el papel, que irá junto a la arista del techo sin mancharlo de cola.

Para empapelar las esquinas. Cuando llegue a la esquina de la habitación, recuerde que no debe pegar la misma tira de papel en las dos paredes. Corte la tira longitudinalmente para que cubra la primera pared y una franja de unos pocos centímetros en la otra. Para seguir ahora empapelando esta nueva pared, puede aprovechar el otro trozo de la tira que ha cortado o utilizar una tira entera (respetando las combinaciones de los motivos). Trace de nuevo una línea vertical, que será la referencia por la que se guiará, prescindiendo del ángulo de la habitación, que probablemente no es perfecto.

Para repasar el acabado de los zócalos. Utilice una espátula de revocar como guía para cortar el papel (foto 2).

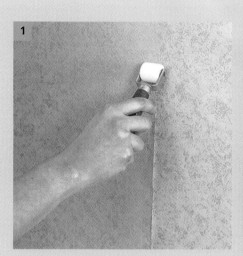

1. Para evitar que el papel se despegue por las juntas, pase un rodillo de encolador y apriete bien la cola.
2. Una espátula de revocar o un cuchillo ancho le servirán de guía para recortar el papel a lo largo del zócalo.

Dificultades a resolver

A medida que vaya empapelando la habitación, se encontrará con algunas complicaciones (tuberías, radiadores, interruptores...) que tendrá que resolver en función de las zonas.

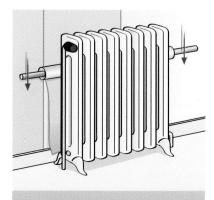

4. Un mango de escoba dentro de un tubo de cartón facilita la colocación del papel por detrás de un radiador con pies.

Pasar por detrás de una tubería. Doble el borde de la tira separándolo de la pared en toda la altura, marque con un lápiz la situación de las abrazaderas de sujeción y practique en el papel un corte horizontal para poder deslizarlo por detrás de la tubería (croquis 3). Si es necesario, ayúdese de una espátula para pegar el papel por detrás de la tubería y en la esquina de la pared.

Empapelar por detrás de un radiador. Para pegar el papel por detrás de un radiador antiguo, con soportes de pies, utilice un tubo de cartón. Deslice la tira encolada por detrás del radiador y presione con el tubo de cartón para que el papel quede en su sitio. Si el espacio entre el radiador y la pared lo permite, puede pasar por el tubo de cartón el mango de una escoba; de este modo, le será más fácil de manejar (croquis 4).

1. Si no puede desmontar el radiador, coloque el papel por detrás después de haberle practicado unos cortes y, a continuación, encólelo con un rodillo de mango largo.
2. Cuando la cenefa esté colocada, pegue presionando con una espátula.

También puede utilizar un rodillo de mango largo, de pequeño diámetro, con un manguito limpio y bien seco (foto 1, p. 68).

Para empapelar por detrás de un radiador suspendido con soportes en la pared, practique un corte en el papel y deslícelo entre los soportes con la ayuda de un rodillo de pintor o con un rodillo de caucho provisto de mango telescópico.

Añadir cenefas

Las cenefas son elementos decorativos que contribuyen a hacer resaltar el papel pintado. Se colocan como el papel pintado después de haber empapelado la superficie (foto 2).

▶ Compruebe que la pared esté completamente seca.
▶ Marque la altura de la cenefa con una regla, un nivel de burbuja y un lápiz. Trace una línea horizontal.
▶ Encole la cenefa con un pincel pequeño (la cola para cenefas se seca en poco tiempo, por lo que no es preciso esperar a que se impregnen).
▶ Coloque inmediatamente la cenefa siguiendo la guía.
▶ Presione con una espátula para que se adhiera y limpie la cola sobrante con una esponja húmeda.

Actualmente se encuentran cada vez más cenefas autoadhesivas y resituables, lo que facilita su colocación.

En las esquinas. Deje que las dos tiras de cenefa se superpongan (respetando la unión) y después corte con el cúter.

Alrededor de puertas y ventanas:
▶ Coloque la cenefa verticalmente a lo largo de las puertas y las ventanas.
▶ En las esquinas, déjela sobrepasar una altura igual a la anchura de la cenefa horizontal, cuyo extremo deberá colocar enseguida por encima.
▶ Con un cúter, corte los extremos de las cenefas horizontal y vertical en diagonal hasta que se solapen; pase un rodillo de juntas para pegar bien los bordes a lo largo de los cortes.

Alrededor de los interruptores

Corte la corriente y desmonte la tapa de los enchufes y los interruptores. Coloque el revestimiento tapando el agujero del interruptor. Practique por encima un corte en forma de cruz en el papel. Saque los hilos eléctricos y doble los bordes del papel cortado hacia el interior de la caja. Vuelva a montar el mecanismo del interruptor y coloque encima el embellecedor. Es conveniente pulverizar alrededor del interruptor con un producto impermeabilizante que protegerá el papel pintado de la suciedad.

Las telas murales

Elegir un revestimiento textil

Los revestimientos textiles aparecieron en la década de 1960 gracias a un fabricante de tejidos que tuvo la idea de pegar una tela sobre un soporte de papel. Un revestimiento textil de pared se compone de una superficie decorativa y un soporte (papel o sin tejer) o de una capa sobre el reverso, cuya función es estabilizar la tela y permitir encolarla sin que aparezcan manchas.

Los tejidos para extender forman otra familia de revestimientos textiles de pared; casi siempre están disponibles en lino, en algodón y en tejidos sintéticos. Su colocación es tan difícil que lo mejor es acudir a un profesional.

Los revestimientos textiles para encolar

La elección. La mayoría de los revestimientos textiles para encolar ofrecen gran estabilidad en cuanto a las dimensiones y son resistentes a la luz, pero en cambio son relativamente frágiles en lo que a limpieza se refiere. Los fabricantes intentan subsanar este problema sometiendo los tejidos a tratamientos antimanchas o contra la suciedad. Algunos incluso reciben un tratamiento a base de teflón que los hace prácticamente impermeables, mientras que otros reciben un tratamiento bactericida o antiácaros y son ignífugos.

Se distinguen tres tipos principales de textiles para encolar:

– Hilo a hilo. Está formado por una capa de hilos pegados verticalmente sobre un soporte de papel. Generalmente lisos, flameados o a rayas, su acabado varía sensiblemente en función del hilo utilizado: hilo grueso de lana basta, lino o algodón para un aspecto natural, viscosa fina o seda para interirores más refinados.

– Textiles tejidos de pequeña anchura. Son contracolados sobre un soporte de papel o una base no tejida (en la fabricación, el reverso se pega a la espuma sintética que forma el forro). Se encuentran en una gama prácticamente infinita: lisos, de mezclilla, a rayas, escoceses, estampados, etc.. Los hilos suelen ser mezclas de fibras naturales y sintéticas: algodón, lino, poliéster, seda, viscosa, acrílico...

© LESURA

Esta tela 100 % viscosa, contracolada sobre un fondo de papel sin unión, ofrece una buena resistencia a la luz.

– Textiles tejidos de gran anchura. Son bastante parecidos a los anteriores, pero en el reverso tienen una inducción o una base no tejida, incluso una espuma, y a menudo una película antipolvo intercalada entre las dos capas. Para colocar los textiles de gran anchura suele ser suficiente con «encolar-extender», es decir, efectuar un simple encolado de unos veinte centímetros de anchura por todo el perímetro de las paredes que hay que recubrir.

Dimensiones. A diferencia de lo que ocurre con el papel pintado, la anchura de los revestimientos murales textiles no es estándar. En general, varía entre 0,50 y 1 m. Las telas de gran anchura pueden alcanzar hasta 3 m, y se colocan horizontalmente para evitar las uniones. En cuanto a la longitud, algunos se comercializan en rollos, mientras que otros se venden por metros.

Tejidos de mueble tensados

Los tapiceros, expertos en forrar las sillas y en confeccionar cortinajes, suelen dedicarse también a tapizar paredes. Una habitación decorada con textiles proporciona una agradable sensación de confort, principalmente por el mismo efecto de las telas, que suavizan las esquinas y rompen la uniformidad de las superficies. No obstante, cabe hacer una observación a propósito de los revestimientos de este tipo: son propensos a retener el polvo, por lo que no suelen ser muy prácticos.

La elección. Todos los textiles que se emplean para tapizar muebles pueden utilizarse para decorar paredes. Principalmente, encontraremos telas de lino y de algodón, así como tejidos sintéticos de aspecto impecable, a menudo con un tratamiento antimanchas. Muchos fabricantes proporcionan, además, combinaciones decorativas con papel pintado, la tela, los complementos, las cenefas, etc. Vale la pena, pues, pensar bien el tejido que más le conviene elegir.

Dimensiones y cantidades. Las telas de tapizar se encuentran disponibles en rodillos de diferentes anchuras:

Algunos revestimientos murales, como este tapizado, ofrecen un aspecto y un tacto que recuerdan los de la piel.

– Tejidos de poca anchura. Se presentan en rollos de 1,30 a 1,50 m de ancho; esta medida es fundamental para calcular los rollos que va a necesitar. El metraje necesario se determina calculando el número de tiras requeridas y multiplicándolo por la altura del techo.

– Tejidos de gran anchura. Son tejidos destinados a tapizar paredes. Se encuentran en rollos de 2,60 a 2,80 m de ancho. La colocación se efectúa desenrollando la tela horizontalmente. El metraje necesario equivale al perímetro de la habitación, al que hay que añadir 1 metro. En este caso, no hay que descontar la anchura de las aberturas; solo habría que descontar la anchura de una vidriera si ocupa toda la altura de la habitación.

Textiles murales: atención a las manchas

Los textiles necesitan un mantenimiento mínimo aunque previamente hayan sido tratados contra las manchas o contra la suciedad. Las manchas deben eliminarse lo antes posible para evitar que las fibras lleguen a absorberlas. La mayoría se puede limpiar con una bayeta limpia; para las más persistentes, si es necesario, puede utilizar un quitamanchas recomendado por el fabricante.

Será necesario eliminar el polvo con un aspirador una o dos veces al año, y con más frecuencia por encima de los radiadores, donde el aire está en continuo movimiento. Actualmente se encuentran en el mercado textiles murales que se pueden lavar con jabón y con lejía y que, además, soportan una limpieza a fondo a vapor.

Colocación de un «no tejido»

El uso de revestimientos «no tejidos» ha revolucionado el mundo del papel pintado. En efecto, son mucho más fáciles de colocar, ya que la superficie que hay que encolar es la pared (y no el revestimiento), lo que evita tener que utilizar una mesa de encolar y se suprime el tiempo de impregnación. Las fibras de los no tejidos son inalterables al agua; de este modo, la estabilidad de las dimensiones del revestimiento evita que este se encoja al secarse la cola. Además, el no tejido, reforzado con fibras de poliéster, es más resistente.

Preparación de las paredes. Hay que tener especial cuidado en el estado de las paredes. Es preciso prepararlas, ya que, con estos revestimientos de poco grosor, los defectos de la pared permanecen visibles. Si ha elegido un tono pastel, debe tener cuidado con las transparencias. Corte varias tiras antes de empezar y numérelas. Si se trata de un revestimiento que imita un material, indique el sentido en que hay que colocarla, sobre todo cuando el fabricante aconseja invertir una de cada dos tiras. Prepare la cola y marque en la pared la posición de las tiras.

Colocación

▶ Trace unas líneas verticales mediante el hilo de una plomada con la misma separación que la anchura de las tiras. Estas líneas le servirán para colocar la primera tira, y, a continuación, para extender la cola sobre la superficie que corresponde a la posición de la tira siguiente.

▶ Encole la pared tira a tira y vaya colocándolas una por una.

▶ Alise la superficie con un cepillo de empapelar.

▶ Las líneas que ha trazado en la pared le servirán para mantener la verticalidad de las tiras.

▶ Enrase la parte superior y la base de la tira que queda sobre el zócalo. Utilice una espátula metálica para marcar el revestimiento y un cúter con una hoja nueva para cortar los sobrantes. Desplace el cúter apoyándolo sobre la espátula, sin pasarlo por debajo.

▶ Encole la pared y coloque la segunda tira borde contra borde (secuencia).

Encole la pared con una brocha o, preferentemente, con un rodillo para formar una capa uniforme. Extienda la cola sobre una superficie equivalente a la primera tira, y después vaya encolando a medida que avance la colocación. Observará que la consistencia de la cola permite que el revestimiento que de adherido inmediatamente, pero sin impedir que pueda desplazarlo si es necesario corregir su posición.

Colocar un «no tejido»

1. Pegue la primera tira a la pared. Siga la línea de referencia que indica la vertical. Alise la superficie con un cepillo de empapelar.

2. Aplique la segunda tira. Ajústela con la primera borde contra borde y repase la superficie para eliminar las burbujas de aire.

3. Despegue ligeramente la tira para corregir su posición. Después, repase la unión pasando una esponja húmeda para quitar las rebabas de cola.

Alicatado,
pavimentado y mosaico

Antes de empezar...

Distintos tipos de pavimentos

Si quiere que un suelo sea práctico, resistente a los golpes y fácil de limpiar; si la pintura de las paredes del cuarto de baño se estropea por la condensación; si quiere un revestimiento más resistente y está pensando en alicatar... ha elegido una buena opción. Existen diferentes tipos de materiales, pero los preferidos son las cerámicas, que se obtienen por cocción de una pasta a base de arcilla y arena. La temperatura de cocción, así como las técnicas de fabricación, proporcionan las cualidades específicas a cada una: impermeabilidad, resistencia a los golpes, al ácido, a la grasa, al rayado...

Por ello, al elegir un tipo de pavimento resulta imprescindible conocer las características de cada uno de ellos, y tener en cuenta criterios prácticos, además de los puramente estéticos. A continuación, apuntamos algunas referencias que le ayudarán a elegir el material más conveniente para el suelo de una cocina, de un cuarto de baño, los senderos de un jardín...

Brillo, dureza y ausencia de poros son cualidades que hacen del gres cerámico un revestimiento apropiado para la cocina.

© Title of Spain Keramica Ceramicas

Los pavimentos cerámicos

El gres cerámico. El gres cerámico está compuesto de arcillas, minerales y aditivos, frecuentemente óxidos, que son los responsables del color. Esta mezcla se somete a una cocción de unos 1300 ºC. A esta temperatura se produce la vitrificación, que, al enfriarse, confiere al gres cerámico sus principales cualidades: brillo, dureza y ausencia de poros. De hecho, el material así obtenido es tan duro que puede rayar el cristal, lo que supone una gran resistencia al desgaste: un pavimento de gres cerámico ofrece una gran durabilidad. La ausencia de poros, además, lo hace resistente a las grasas y a los ácidos, y, al ser perfectamente impermeable, no absorbe el agua y no está amenazado por el hielo. Todas estas características hacen que el gres cerámico sea el material elegido

Al combinar los colores, motivos y tamaños, los azulejos permiten toda clase de fantasías decorativas.

para colocarlo en distintos lugares: es válido para pavimentos interiores, exteriores, habitaciones húmedas, etc.

Los esmaltes. Las arcillas y los silicatos que le dan color forman una mezcla que, después de la vitrificación de la masa, proporciona unas piezas no porosas e inalterables: los esmaltes. Son resistentes al fuego y a las heladas, y su brillante gama cromática permite utilizarlos tanto en exteriores como en interiores. Al igual que las pastas de vidrio, suelen ser de pequeñas dimensiones, de forma cuadrada, redonda o hexagonal, y se pueden combinar en paneles formando mosaicos (recuadro p. 76).

Los esmaltes suelen ser de pequeñas dimensiones y formas variadas.

Gresificados y gresificados-esmaltados. La composición de los gresificados es esencialmente la misma que la del gres cerámico, pero la cocción se efectúa a temperaturas más bajas, alrededor de los 1 000 ºC, hecho que produce una vitrificación parcial. Los materiales así obtenidos son menos duros y presentan una ligera porosidad. Por lo tanto, no son apropiados para exteriores. Sin embargo, para salvar este inconveniente, existen los gresificados esmaltados, es decir, modificados por la adición de óxidos metálicos. Su superficie está recubierta por un esmalte análogo al que se aplica en los azulejos. Esta técnica permite ampliar la gama de colores y, asimismo, en determinados casos, su uso en exteriores.

Los azulejos. Los azulejos están formados por dos partes distintas: el cuerpo del azulejo, que es una mezcla a base de arcilla llamada *bizcocho*, y la capa de esmalte, que se aplica sobre una de las caras. Son fáciles de limpiar, impermeables y resistentes a los ácidos, y no se rayan con facilidad. En cambio, no soportan los cambios bruscos

© Émaux de Briare

de temperatura ni tampoco los golpes. Por ello, no son adecuados para exteriores ni tampoco para recubrir una superficie de trabajo o una mesa de cocina. En estos casos es preferible utilizar gres cerámico, cerámica barnizada o esmaltes, que son más duros y resistentes. Los azulejos se emplean, sobre todo, como revestimiento mural y se reservan para las paredes interiores.

La pasta de vidrio. La pasta de vidrio, compuesta, en gran parte, de vidrio opaco, reúne cualidades de la cerámica y del vidrio. Es, por tanto, un material duro y no poroso, que se encuentra, además, en diversos colores, a menudo translúcidos. En general, son elementos de pequeñas dimensiones que se emplean en la composición de mosaicos (recuadro).

Terracotas (o barro cocido). Las baldosas de terracota, de aspecto rústico y superficie irregular, tienen una gran aceptación, pero tanto su colocación como su limpieza y mantenimiento exigen ciertas precauciones. La mezcla se compone de arcillas ligeramente calcáreas y se calienta a una temperatura relativamente baja, unos 900 ºC, por lo que no se produce el proceso de vitrificación. Por esta razón, es poco resistente, sensible a los golpes y ligeramente porosa y alterable. Si, a pesar de todo, se quiere utilizar en lugares húmedos o expuestos al agua (baños, la zona del fregadero, exteriores...), es necesario protegerla con un producto aislante que le proporcione mayor resistencia. Esta operación, a diferencia de las cerámicas barnizadas, tiene la ventaja de que conserva el aspecto original de la terracota, ya que mantiene su superficie mate.

La terracota ofrece gran variedad de colores, que dependen de la proximidad a la llama durante la cocción. Del beige claro al marrón rojizo, pasando por el color crema, el ocre, el rosado o el siena, sus tonos naturales se adaptan a cualquier decoración. La diversidad de modelos, dimensiones y grosores es tan amplia que es fácil encontrar el modelo deseado. Para rematar el acabado, hay diferentes grecas y cenefas de cordón que combinan con los colores de las baldosas.

© Briques de Vaugirard

Para poder emplearla en exteriores, la terracota suele impregnarse con un producto aislante.

El mosaico, un ensamblaje de pequeñas piezas

El término *mosaico* no designa un material en particular, sino el ensamblaje de varios elementos que forman un dibujo o unos motivos repetidos.

El mosaico permite cualquier fantasía: un ensamblaje de baldosas rotas inspirado en las obras de Gaudí, una amalgama de restos de vajillas o de vasos y copas, una composición con fragmentos de espejos o de vidrio... todo es posible. Según el fabricante, puede tratarse de materiales muy diferentes: mosaico de esmaltes, mosaico de gres cerámico, mosaico de vidrio, etc. Pero los que más se utilizan son las pastas de vidrio, fundidas a temperaturas muy elevadas y cortadas en pequeños cuadritos, así como los esmaltes. Estos mosaicos, ensamblados en placas o tramas de papel kraft, se venden ya listos para colocar, a no ser que quieran utilizarse para formar composiciones más sofisticadas. Las placas, en efecto, presentan ensamblajes lisos, en camafeo o contrastados. Los fabricantes ofrecen incluso motivos por encargo, diseñados con ordenador a partir de un croquis, una fotografía o hasta un tejido que se quiere combinar.

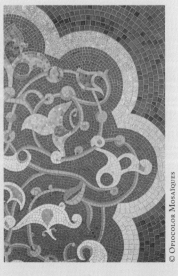

© Opiocolor Mosaïques

Corte y acabado

El corte y el acabado pueden realzar el veteado natural de las piedras. Según el tipo de acabado, el aspecto de la piedra varía sensiblemente.
1. piedra pulida de Portugal; 2. piedra fina y dura de Saint-Pierre-Aigle (Francia); 3. mármol rosado de Noruega; 4. piedra escodada de Portugal; 5. caliza gris claro de España; 6. piedra flameada de Portugal; 7. granito verde tipo Gauguin.

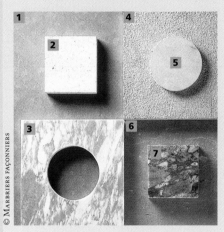

© MARBRIERS FAÇONNIERS

Los enlosados de piedra natural

La piedra es el revestimiento de suelos más antiguo y más resistente que se conoce. Mármol, granito, gres o pizarra, casi todas las piedras se pueden utilizar en placas o losas. Cada tipo suele designarse con el nombre de la roca de la que procede y, a veces, el de su lugar de origen.

Mármol. El mármol es una piedra caliza muy densa, dura y de grano fino, que proporciona fácilmente un bello pulimento. No obstante, no resiste los ácidos, las grasas y los materiales abrasivos, que atacan la superficie. Es un material relativamente delicado y, además, de precio elevado.

El color y el veteado del mármol dependen de las diversas sustancias e impurezas que contenga. Los mármoles presentan aspectos muy distintos según su origen. Desde los mármoles blancos o negros, que presentan superficies perfectamente lisas, hasta los mármoles verdes o rojos, generosamente jaspeados de blanco, existen múltiples coloraciones, más equilibradas o más contrastadas. Suelen designarse por su color, a veces seguido del lugar de donde se han extraído: blanco de Carrara o verde de los Alpes, por ejemplo. El grano es tan fino que permite pulir la piedra hasta obtener un acabado de un brillo espectacular que hace resaltar tanto el veteado como el color.

Las piedras marmóreas. Entre las piedras marmóreas, el travertino y el comblanchien, una caliza de color beige rojizo, son también apreciados por su belleza.

El travertino es una piedra calcárea muy compacta. Casi siempre es de color beige oscuro, crema o marrón rojizo, según el lugar de extracción. Sus cualidades y usos son comparables a los del mármol, pero los efectos decorativos no resultan tan espectaculares.

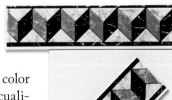

El comblanchien es una piedra calcárea muy dura y fácil de pulir. Su aspecto gris amarillento se realza a veces con aureolas rosadas. Pero, si bien ofrece gran resistencia al desgaste, la superficie pulida resulta resbaladiza para pavimentar un suelo.

El basalto. De origen volcánico, el basalto es una piedra pesada y dura, de color negro en estado natural, que adquiere unos tonos verdosos o marrón rojizo cuando se altera. Tallado en bloques o en baldosas, es muy adecuado para revestimientos exteriores, como caminos, senderos de jardín, etc. Ofrece gran resistencia al desgaste.

Pizarra y granito. La pizarra es un esquisto de granos finos, generalmente de color gris azulado. Su superficie puede ser natural o pulida, ofrece una buena resistencia al desgaste y soporta las heladas. En cambio, se raya con facilidad.

Diferencia entre enlosado y pavimentado

El pavimentado es una operación que consiste en yuxtaponer baldosas de manera que formen un revestimiento de superficie. Cuando las dimensiones de las baldosas se reducen hasta el tamaño de las fichas de dominó, el revestimiento se convierte en un mosaico. Por el contrario, cuando el conjunto se compone de piezas de grandes dimensiones, se trata de un enlosado.

El granito, constituido básicamente por cuarzo, posee gran dureza y resulta prácticamente impermeable. De color gris, rosado o incluso rojo, es fácil de pulir y, a veces, presenta cierto parecido con el mármol. Ofrece, además, una buena resistencia a las grasas, los ácidos y el desgaste.

Arenisca (rocas sedimentarias). No hay que confundir la arenisca con el gres cerámico, que es el resultado de un proceso de fabricación a partir de distintas arcillas. La arenisca, de color gris o rosado, es el resultado de la transformación natural de arenas silíceas. Posee buena resistencia al desgaste, y su superficie, incluso pulida, permanece mate y antideslizante. Suele utilizarse en forma de losas o bloques para pavimentar avenidas o caminos abiertos al tránsito rodado. Su composición natural le confiere un poder abrasivo que se utiliza para fabricar piedras de afilar.

Los formatos de las losas de piedra. Los progresos alcanzados en las técnicas de corte permiten actualmente fabricar losas de piedra de reducido grosor, que se colocan con la misma facilidad que una baldosa. Las losas de menor grosor –de unos diez milímetros, e incluso menos si se refuerzan por el reverso con fibra de vidrio– se colocan simplemente con mortero cola, mientras que las losas tradicionales –de un grosor de 15 a 20 mm– han de colocarse con mortero sobre un lecho de arena. Gracias a la gran variedad de rocas que se encuentran en Europa, hay losas a todos los precios y, en contra de lo que suele creerse, un suelo de piedra no ha de ser necesariamente más caro que un suelo revestido de cerámica o de parquet.

La pizarra no se altera a la intemperie y conserva durante años su color azulado.

Baldosas hidráulicas y piedra artificial

Las baldosas hidráulicas, de colores luminosos y gran variedad de formas, pueden ser materiales muy atractivos para revestimientos de suelo. Por su parte, la piedra artificial, muy resistente, de un tono blanco grisáceo y diferentes dimensiones, una vez ensamblada formará un enlosado de aspecto rústico.

Las baldosas hidráulicas. Las baldosas hidráulicas aparecieron en la población francesa de Viviers, en 1850, y han pasado a ocupar un lugar destacado en la historia de la pavimentación. En su origen se utilizaron en los suelos de las casas provenzales, después se exportaron a Marruecos y, finalmente, dieron la vuelta al mundo, perdiendo así motivos y colores, al inspirarse en tradiciones locales. Durante varias décadas, este material dejó prácticamente de usarse, pero actualmente vuelve a estar de moda. Las baldosas hidráulicas están compuestas de cemento, silicio, polvo de mármol y pigmentos, y no se someten a cocción, sino que la pasta se vierte en moldes compartimentados. Fabricadas artesanalmente, el color se aplica directamente en la masa, y las baldosas presentan motivos que se adaptan a diversos ambientes. Antiguamente, las baldosas hidráulicas solo se fabricaban en rojo oscuro, ocre tostado, gris, negro y blanco, colores que aún podemos ver en los vestíbulos de construcciones antiguas. Gracias a los colorantes sintéticos, la paleta se ha ampliado en nuestros días hasta dieciséis colores. Además, su acabado satinado las hace agradables al tacto.

La piedra artificial. La piedra artificial despierta cada vez mayor interés. Está compuesta por una mezcla de gravillas y piedras calcáreas, trituradas y ligadas con cemento blanco. Su densidad es equivalente a la de la piedra natural, es muy resistente, y su precio se reduce a la mitad. Sus colores son también muy variados, aunque cada fabricante tiene su propia fórmula, que guarda celosamente.

© MODULO

Estas losas de piedra artificial reproducen fielmente el suelo de las antiguas construcciones.

© CAROCIM

Las baldosas hidráulicas brillantes, muy adecuadas para un cuarto de baño, forman superficies agradables al tacto.

Saber elegir bien

A pesar de que existe gran variedad de materiales para pavimentar y enlosar, no todos se adaptarán al uso que en cada caso se haya previsto. Además, cuando haya decidido cuáles son los materiales que más le convienen, la elección final estará en función, básicamente, de los formatos y los colores. Y en esta cuestión, todo está permitido...

Escoger el producto más adecuado

¿Qué tipo de material? Antes de dejarse seducir por un color, piense en las características del material. Si para una sala de estar puede primar la estética, un vestíbulo, un cuarto de baño o una cocina requieren un pavimento resistente, impermeable y de escaso mantenimiento. Si está dudando entre varios modelos, elija preferentemente el que posea la mejor calificación UPEC, indicada en el producto (recuadro).

¿De qué forma? La elección de la forma y los colores es algo más subjetivo y está relacionado con la decoración interior. El cuadrado y el rectángulo son las formas más comunes, sobre todo cuando se trata de piedras naturales cortadas a sierra. Para los demás pavimentos moldeados y cocidos, todas las formas geométricas son posibles: tréboles, palmetas o canillas, entre otras.

¿En qué formato? Olvídese de las ideas preconcebidas según las cuales que cuanto más pequeña sea una habitación, menores deberán ser las dimensiones del pavimento. Al contrario, un enlosado grande puede agrandar visualmente una habitación minúscula, mientras que los espacios muy grandes ganarán interés con pavimentos pequeños. Y nada impide la combinación de elementos de diferentes formatos en una composición, que dará más carácter al conjunto.

Utilizar baldosas pequeñas facilita la colocación, ya que se reducen el número y la complejidad de los cortes, mientras que los grandes formatos reducen el número de juntas. También hay que tener en cuenta que cuanto mayor sea el formato, más frágil será la baldosa.

Calcular bien las necesidades

Los precios de los pavimentos se indican por metro cuadrado. Por consiguiente, antes de comprarlos mida la habitación. **Los casos más sencillos.** Cuando la estancia sea regular y el suelo liso, compre el pavimento estrictamente necesario para cubrir una superficie igual a la de la estancia o la super-

Algunas formas de baldosas

Tréboles

Palmetas

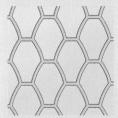

Etruscos

Canillas con hexágonos

La norma UPEC

La norma UPEC se aplica a tres categorías de revestimientos de suelos: los revestimientos de suelo plásticos, los revestimientos de suelo textiles y las baldosas de cerámica. Esta norma establece la siguiente clasificación en función del uso:
- U indica el desgaste al caminar;
- P de perforación (peso de un mueble, caída de un objeto);
- E el comportamiento ante el agua y la humedad;
- C indica el comportamiento ante los agentes químicos (productos de limpieza, quitamanchas).
Cada letra de la clasificación UPEC forma parte de una escala del 0 al 4. Cuanto mayor es el coeficiente, tanto más resistente es el revestimiento.
Por ejemplo: para un dormitorio, un revestimiento clasificado U2 P2 E1 C0 es suficiente. En cambio, para una cocina es más conveniente un revestimiento clasificado U3 P2 E3 C1.

NÚMERO DE BALDOSAS POR M²

Dimensiones de la pieza	Número de piezas por m²	Dimensiones de la pieza	Número de piezas por m²
10 x 10 cm	100	20 x 25 cm	20
10 x 20	50	20 x 30	17
11,5 x 11,5	76	20 x 35	15
11,5 x 24	33	24 x 24	16
15 x 15	44	25 x 25	16
15 x 20	33	25 x 30	13
15 x 22,5	30	25 x 40	10
16 x 33	18	30 x 30	11
20 x 20	25	33,3 x 33,3	9
21 x 21	23		

ficie que quiere pavimentar. La tabla le ayudará a calcular el número de baldosas que necesitará.

Por ejemplo: si tiene que pavimentar una habitación de 12 m² con baldosas de 20 x 20 cm de lado, necesitará: 12 x 25 (número de baldosas por metro cuadrado) = 300 + 10 % = 330 baldosas. El 10 % se añade para compensar las posibles baldosas rotas.

Los casos más complejos. Si los locales tienen un perímetro especial, o si quiere instalar un pavimento combinando distintas formas o colores, tendrá que realizar una planificación (p. 94). Esta operación se efectúa para determinar el tamaño de las baldosas que más se adapta a la habitación y estudiar la forma de ensamblaje más conveniente. Permite también definir el criterio que se va a seguir en la colocación, recta o en diagonal, así como la ubicación de los cortes. Para llevarla a la práctica, utilice un papel milimetrado, sobre el que trasladará con detalle las dimensiones de la habitación antes de dibujar los motivos que ha planeado para decorarla. También puede hacerse con ordenador. Cuando haya determinado en el plano la superficie que quiere pavimentar y la posición de las baldosas, calcule el número de piezas e increméntelo un 10 % como medida de precaución.

Atención: Durante el alicatado, procure buscar cierta simetría en los cortes. Lo más sencillo es colocarlos en función de los ejes que crean las puertas, ventanas, sanitarios, armarios, esquinas y retranqueos de tabiques, etc.

Para colocar un pavimento combinando formas o colores distintos siempre es preferible un alicatado.

Combinaciones de cenefas

Las cenefas colocadas en la parte superior de las paredes reducen visualmente la altura de la habitación, mientras que si se sitúan a la altura de los ojos producen el efecto contrario. Pero, a menudo, las cenefas resultan caras. Si quiere romper la monotonía de un pavimento sin desequilibrar su presupuesto, puede sustituir una cenefa por una hilera de piezas de un color contrastado, o en camafeo para enmarcar un espejo.

Alicatar las paredes

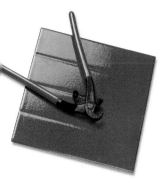

Los preparativos

La existencia de una extensa gama de azulejos con colores y formas variados permite múltiples posibilidades a la hora de alicatar una pared. No obstante, si es la primera vez que lo intenta, elija modelos sencillos y, más fáciles de colocar que un mosaico artesanal de piezas irregulares.

Preparar el soporte

Calcule, en primer lugar, las dimensiones de la superficie que va a alicatar y establezca un plan detallado que le permita determinar la posición de las baldosas y la cantidad que tendrá que comprar.

El alicatado es un revestimiento pesado, por lo que es conveniente que la pared o el tabique sean lo suficientemente espesos y rígidos como para soportar esta carga. Además, la zona que quiera alicatar deberá tener una superficie plana, de tal manera que al aplicar uniformemente el cemento-cola y los azulejos queden también perfectamente planos. Si no fuera así, tendrá que preparar la pared adecuadamente, sin dejar de eliminar, además, los restos de aceite, de grasa o de productos de limpieza, que perjudicarían la adherencia de los azulejos.

Sobre un material absorbente (madera, aglomerado, yeso), aplique una capa de fijador con el rodillo y déjela secar de 3 a 4 horas.

Sobre pintura vieja

► Cuando el revestimiento sea liso y brillante, tendrá que lavarlo bien y después lijar la capa de pintura.

► Si se trata de un revestimiento desconchado o con partes despegadas, decape toda la superficie y aplique un revocado para tener un plano homogéneo. Este revoque puede efectuarse con el mismo adhesivo que se utiliza para encolar los azulejos. Tome una pequeña cantidad de pasta y, después de amasarla bien para ablandarla, extiéndala formando una capa regular con una espátula de revocar sobre toda la superficie a alicatar.

► Deje secar de 2 a 3 horas.

Sobre un alicatado viejo

Examine primero la superficie y localice los azulejos que faltan o están estropeados. No será necesario, sin embargo, repicar toda la pared.

La adherencia que ofrecen los morteros actuales permite encolar un alicatado nuevo encima de otro viejo. A pesar de todo, compruebe que la superficie sea plana y, con un disco para lijar, proceda luego a un deslustrado de los azulejos para asegurar una mejor adherencia del mortero.

La terracota, a no ser que haya recibido un tratamiento antiporos, no es el material más adecuado para un cuarto de baño.

Alicatar

Empiece colocando los azulejos enteros. Tendrá que cortarlos para ajustarse a los bordes y rematar la operación con un rejuntado.

Delimitar la superficie que se va a alicatar

▶ Se empieza por trazar dos líneas perpendiculares, que delimitarán la primera hilada de azulejos en sentido vertical y en sentido horizontal (secuencia en página siguiente).
▶ Fije dos reglas en la pared siguiendo estas dos líneas.

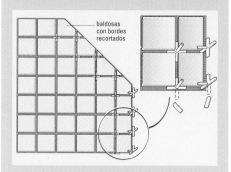

Recorte los azulejos para ajustar los bordes. Corte o recorte las espigas de las crucetas para deslizarlas en las juntas que quedan cerca de la pared.

Preparar y extender el cemento-cola

Hay que amasar antes el cemento y dejarlo reposar.
▶ Durante este tiempo, puede seleccionar los azulejos y descartar las piezas defectuosas (colores, rayaduras, desportillados, etc.), que podrán servir para las hileras cortadas de los bordes. Si va a combinar dos colores, haga pilas independientes para no mezclarlos.
▶ Aplique el mortero con la paleta sobre una superficie reducida. Extienda toscamente la pasta formando una capa de 4 a 5 mm de espesor, pues si bien el mortero (o adhesivo) puede trabajarse durante una media hora, su plasticidad desaparece con la temperatura ambiente y se reduce el tiempo de aplicación.
▶ Peine el cemento-cola con una llana dentada trazando surcos horizontales. El tamaño de los dientes regula la cantidad de adhesivo que queda extendido (p. 96).

Colocar los azulejos enteros

▶ Empiece por la primera hilada horizontal, apoyándola por la base en la regla. Coloque el azulejo bien plano y después presione la superficie con las dos manos para aplastar los surcos del cemento-cola.
▶ Ajuste la separación de las juntas utilizando unas crucetas de plástico (recuadro). Coloque una cruceta en la intersección de cuatro azulejos y vaya avanzando colocando alternativamente hileras horizontales y verticales.
▶ Extienda más cemento-cola.
▶ Iguale el grosor con la espátula y continúe colocando todos los azulejos enteros. No hay que dejar cemento en los bordes, fuera de la superficie ya alicatada. Elimine el mortero sobrante antes de que se endurezca, pues una vez seco sería imposible quitarlo o poner los azulejos de los bordes.

Limpiar los azulejos

Use una esponja húmeda, teniendo en cuenta el endurecimiento del mortero. Dispone de 30 a 45 minutos, pero es mejor no confiarse, ya que el calor va reduciendo este

Las crucetas

Se presentan en tamaños estándar. El grosor de las espigas varía según los modelos y la anchura prevista para las juntas. Algunas crucetas se fijan definitivamente, mientras que otras se dejan solo hasta que la junta se seca.
Un truco: si no dispone de crucetas pequeñas, puede utilizar cerillas o palillos.

margen de tiempo. Cuando el mortero empiece a fraguar, retire las crucetas. Hágalo con mucho cuidado para no mover los azulejos. Las crucetas se limpian con agua caliente. Retire también las reglas que han servido de guía y deje secar unas 12 horas.

Ajustar los bordes

▶ Sin demora, coloque los azulejos de los bordes. Ajuste cada pieza; córtela (ver las páginas siguientes) según el espacio disponible y colóquela sin cola, sin olvidarse de las crucetas espaciadoras (croquis adjunto). Al poner el primer (o el último) azulejo a la pared, coloque la cruceta perpendicularmente y ajustándola al grosor de la pata.

▶ Después de haber cortado el azulejo y ajustado las crucetas, encole el reverso de la pieza (en lugar de encolar la pared).

▶ Iguale el cemento-cola con la espátula dentada, coloque el azulejo y presiónelo ligeramente para aplastar la cola.

▶ No se olvide de quitar las crucetas antes de que fragüe el mortero.

▶ Deje secar el alicatado varias horas.

Colocar un alicatado

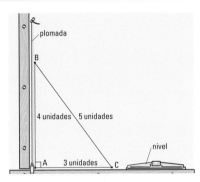

1. Fije dos reglas en ángulo recto. Servirán para delimitar la superficie a alicatar. Hay que verificar las líneas de guía con una escuadra, una plomada y un nivel de burbuja.

plomada

4 unidades   5 unidades

nivel

3 unidades

2. Amase el mortero-cola en la gaveta. A continuación, extiéndalo con la paleta aplicando un grosor de 4 a 6 mm aproximadamente. Como prueba, limítese a una superficie no superior a 0,5 m^2.

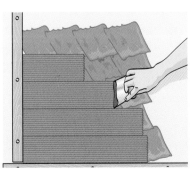

3. Elija una espátula dentada adaptada a los azulejos. Peine el cemento-cola formando unos surcos horizontales. Iguale el grosor del adhesivo en toda la superficie.

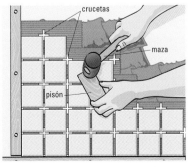

crucetas

maza

pisón

4. Aplique los azulejos. Monte una hilada horizontal; después, una vertical. Golpee los azulejos con un pisón de madera y una maza para asentarlos en el mismo plano.

Cortar los azulejos

Para acabar una superficie alicatada, deberá cortar algunas piezas. Con azulejos no tendrá ninguna dificultad para usar herramientas simples. Para materiales más resistentes (terracota, gres cerámico, etc.) deberá tener (o bien alquilar) una herramienta apropiada, como la que se usa para cortar las baldosas de suelo (pp. 100-101).

Cortes rectos

Cortar un azulejo en dos partes iguales.

Utilice una herramienta afilada (punta de marcar) para rayar el esmalte (croquis 1).

▶ Apóyese en una regla para trazar una línea continua, sin vacilar, y ejerza una presión firme y constante sobre la herramienta. Resiga varias veces esta línea.

▶ Coloque luego el azulejo apoyándolo en falso, sobre dos crucetas (o dos clavos) dispuestas exactamente por debajo de la línea marcada, y apriete a ambos lados con un movimiento seco. El azulejo se romperá siguiendo la línea marcada en el esmalte.

Cortar un azulejo en dos partes desiguales.

El método anterior no siempre da buenos resultados. Es preferible usar unas tenazas de muesca con una rueda dentada de carburo de tungsteno (croquis 2).

▶ Coloque el azulejo sobre una superficie flexible (caucho, fieltro, plástico, etc.) para evitar golpes a la rueda.

▶ Raye el esmalte presionando con fuerza.

▶ Abra las tenazas y coloque la mordaza justo encima de la línea. Apriete luego suave y progresivamente, hasta que la mordaza en forma de V separe las dos partes del corte.

Cortes curvos

Haga una plantilla de cartón para marcar el contorno que quiere cortar, o utilice una plantilla de perfiles. Traslade la curva al azulejo con una punta de marcar (o una ruedecilla) de carburo de tungsteno y luego raye la parte que debe eliminar trazando pequeños cuadrados.

Con unas tenazas de alicatador

▶ Vaya recortando la parte sobrante arrancando poco a poco pequeños fragmentos de azulejo (croquis 3).

▶ Trabaje con mucho cuidado, sobre todo al aproximarse al perfil.

Sustituir un azulejo

Un azulejo puede estar mal colocado, desconchado o roto, como consecuencia de golpes o perforaciones. Si al alicatar pudo guardar algunas piezas sobrantes, solo tendrá que arrancar el azulejo estropeado y sustituirlo por otro. En caso contrario, lo mejor será sustituir unos cuantos azulejos por un motivo que no desentone con la decoración.

Aproveche esta reparación para renovar todas las juntas; límpielas con detergente de resina de pino y después rejúntelas de nuevo.

Vacíe con un objeto puntiagudo las juntas del azulejo estropeado para separarlo de los que están al lado.

Con una broca para hormigón, haga varios agujeros en el centro del azulejo con el taladro. Haga saltar los restos de cola con un formón viejo y limpie un espacio suficiente para el nuevo azulejo.

Encole el reverso del azulejo nuevo con una espátula dentada.

Coloque el azulejo en su lugar y déjelo a nivel utilizando un taco de madera y una maza. Solo faltará hacer las juntas nuevas cuando la cola se haya secado.

© CAROCIM

En esta decoración, el suelo y las paredes se complementan a la perfección gracias a una combinación muy estudiada de colores, formas y motivos.

▶ Acabe lijando con papel esmerilado para pulir el corte.

No se sorprenda si fracasa en este tipo de cortes la primera vez, ya que para utilizar bien la tenaza de alicatador hay que tener un poco de práctica.

Con una sierra de azulejos. Para azulejos de escaso grosor, elija una sierra de azulejos (croquis 4). La hoja es un hilo de sección redonda de carburo de tungsteno, que corta en cualquier dirección y permite seguir fácilmente los trazados sinuosos.

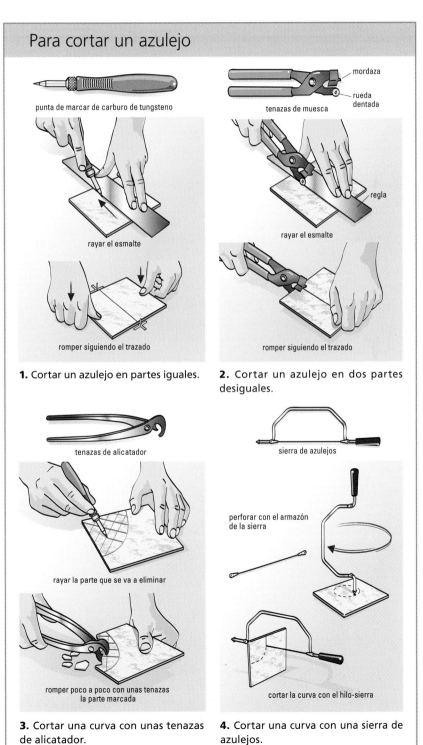

Para cortar un azulejo

punta de marcar de carburo de tungsteno

tenazas de muesca

mordaza

rueda dentada

rayar el esmalte

regla

rayar el esmalte

romper siguiendo el trazado

romper siguiendo el trazado

1. Cortar un azulejo en partes iguales.

2. Cortar un azulejo en dos partes desiguales.

tenazas de alicatador

sierra de azulejos

rayar la parte que se va a eliminar

perforar con el armazón de la sierra

romper poco a poco con unas tenazas la parte marcada

cortar la curva con el hilo-sierra

3. Cortar una curva con unas tenazas de alicatador.

4. Cortar una curva con una sierra de azulejos.

Rejuntar

Las juntas que al finalizar el alicatado rellenan las separaciones entre los azulejos cumplen una doble función. Técnicamente, aportan cierta flexibilidad al conjunto y aseguran su impermeabilidad, pero también tienen un papel decorativo. Descuidadas durante mucho tiempo, las juntas eran tradicionalmente grises, pero, en la actualidad, disponemos de una gama de tonos que abarca desde el blanco hasta el ocre.

Aplicación del mortero para rejuntar

▶ Prepare la mezcla: vierta el polvo en el agua y amase hasta obtener una pasta.
▶ Aplique la pasta en las juntas (secuencia p. 90). Presione el dorso de la paleta para que el producto penetre bien entre los azulejos.
▶ Extienda las juntas y, en seguida, limpie la superficie con una rasqueta ancha de caucho: desplace la rasqueta siguiendo las diagonales para igualar las juntas.
▶ Limpie rápidamente la superficie; el primer aclarado debe haber terminado antes de que la pasta empiece a fraguar.
▶ Cuando las juntas se hayan secado por completo (2 horas aproximadamente), frote los azulejos con una bayeta seca o una gamuza.
▶ Un último repaso, que hay que hacer suavemente con una pequeña varilla de madera, rebajará ligeramente las juntas, que quedarán así por debajo del nivel de los azulejos y aportarán al conjunto un ligero relieve.
▶ Para terminar, limpie los azulejos.

Aplicar un plastificante

Si se trata de azulejos que están muy expuestos a la suciedad y es preciso limpiarlos con frecuencia, como los de una cocina, proteja las juntas nuevas aplicando un plastificante con el pincel.
Extienda el producto en dos capas sobre las juntas, tanto si son blancas como de color, después de su acabado. Tenga en cuenta que el plastificante no limpiará las juntas que ya estén previamente manchadas.

Las juntas de silicona

Una vez que haya terminado el rejuntado de un alicatado, sobre todo en una cocina o un cuarto de baño, puede darse el caso de que tenga que añadir una junta especialmente impermeable y resistente entre los azulejos y algunos sanitarios. Para ello, se aplica una masilla elástica a base de silicona, que permite hacer juntas a medida, perfectamente amoldadas alrededor de los accesorios que es necesario impermeabilizar. La masilla de silicona se presenta en aplicadores que pueden ser de dos tipos distintos.
Cartucho manual. Debe montarse en una pistola de extrusión.

Precauciones para aplicar una junta de color

Si el mortero para rejuntar es de color, proteja los azulejos de las impregnaciones del colorante, que a veces es muy difícil de limpiar, cuando no imposible, sobre todo si se trata de colores vivos.
Aplique un líquido incoloro plástico en toda la superficie.
Extienda una segunda capa, utilizando una esponja, al cabo de 10 minutos.

Colocar la pasta de sellar

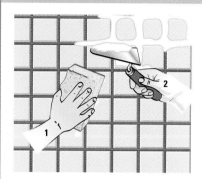

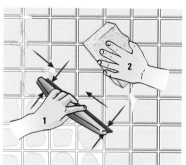

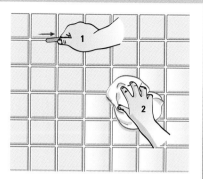

1. Aplique primero un producto protector con una esponja. Esta capa impide que la pasta de sellar pueda incrustarse en los poros de algunos azulejos. Presione luego la pasta entre los azulejos con un paletín. Trabaje con el mayor esmero para no rayar el esmalte de los azulejos.

2. Cepille la superficie con una rasqueta de caucho. Las juntas deben ser regulares y lisas, sin quedar hundidas. Elimine la pasta sobrante. Empiece la limpieza con una esponja húmeda, y escúrrala con frecuencia.

3. Pase un pequeño listón de madera con la punta redonda entre los azulejos. Este alisado se efectúa cuando la pasta de sellar empieza a endurecerse. Frote luego los azulejos con un trapo seco. Elimine así cualquier rastro se suciedad y deje el esmalte brillante.

Al hacer presión sobre el gatillo, la masilla es expulsada a través de la boquilla.

Cartucho automático. No necesita pistola. En el fondo del cartucho hay un gas a presión que impulsa la masilla hacia la salida (foto). La extrusión hace que la masilla se adhiera sobre todos los materiales y se seca en contacto con el aire, aunque nunca se endurece completamente. Conserva la elasticidad del caucho, lo que le permite absorber ciertas deformaciones sin romperse.

Aplicación de las juntas de silicona

Limpie la junta con un disolvente para eliminar todos los restos de cuerpos grasos.

▶ Monte el cartucho en la pistola. Corte en diagonal el extremo de la boquilla para tener una junta del diámetro que necesita.

▶ Presione el gatillo para depositar un hilo continuo y uniforme a lo largo de la junta. Si al primer intento no consigue un hilo estético, alise la superficie de la junta para obtener la apariencia deseada. Esta operación es delicada y puede efectuarse con éxito de distintos modos.

Con un dedo. La punta mojada del dedo índice es suficiente para alisar una junta pequeña y dejarla con la superficie ligeramente curvada. No tiene que apretar demasiado fuerte. Tampoco ha de ir arrastrando trozos de masilla, sino deslizar el dedo por la superficie con un movimiento suave y continuo. Para conseguirlo, mantenga el dedo húmedo mientras dure la operación.

Con una espátula especial. Es de plástico, tiene la forma de una cucharilla de café y normalmente se encuentra junto con los cartuchos de silicona. Para evitar que la espátula se adhiera a la masilla, aplíquele unas gotas de lavavajillas.

Con una rasqueta de propileno. Es un modelo que ideó un profesional y permite hacer juntas perfectamente regulares sin saber el procedimiento.

Para obtener un buen resultado, procure mantener la misma inclinación durante toda la operación.

© SADER

Colocar mosaico

El mosaico de pared es una decoración compuesta de pequeños elementos preensamblados en placas cuadradas. Los pequeños azulejos (aproximadamente, 2 cm de lado) están encolados sobre una trama o contracolados sobre un papel para que mantengan una separación regular.

Fijar las placas

Prepare y encole la pared (p. 85). Peine el cemento-cola con una llana dentada sobre una superficie equivalente a tres o cuatro placas. Si está colocando un preensamblaje sobre trama, esta última se hundirá en el cemento cola.

Las placas se colocan a una distancia una de otra equivalente a la anchura de las juntas que hay sobre el preensamblaje. Procure alinear bien las placas para que no se perciba ningún salto entre las juntas. Para hacerlas coincidir, deslice la hoja de la llana por debajo de una hilera de placas haciendo una ligera presión hacia arriba, si es necesario. Controle la cantidad de adhesivo: su grosor ha de estar bien medido para que el mortero no rebose por las juntas entre cada placa.

Para un mosaico contracolado sobre papel, deje secar antes de retirar la capa de protección; después de colocarlo, bastará limpiar la superficie con agua para despegarlo y entonces podrá aplicar el mortero de rejuntar (secuencia).

Ajustar los bordes. Después de colocar todas las placas enteras, ajuste los bordes. Corte la malla de una placa con un cúter para separar una hilada de azulejos equivalente a la anchura del borde.

Si el espacio que ha de llenar le obliga a cortar las piezas de cerámica, utilice una máquina de cortar azulejos especial para mosaicos, sobre todo si se trata de pastas vitrificadas, ya que son difíciles de cortar debido a su dureza. Si no es posible, recorte las piezas una por una con unos alicates para cerámica de carburo de tungsteno.

Atención: El mosaico es mejor que los azulejos cuando hay que recubrir superficies cóncavas o convexas. Las pequeñas piezas se adaptan a la perfección en las superficies curvas de las cabinas de ducha, por ejemplo.

Colocación de un mosaico contracolado sobre papel

© OPIOCOLOR

1. Coloque uniformemente los azulejos en la pared. Use un fratás para dar pequeños golpes, ligeros, pero firmes, sobre toda la placa encolada.

2. Retire el papel. Al cabo de 24 horas, empape de agua el papel kraft. Retírelo, y enjuague con una esponja húmeda para eliminar los restos de la cola del papel.

3. Rellene las juntas. Extienda el mortero para sellar con una espátula de caucho. Para terminar, pase una esponja húmeda para limpiar las placas y luego séquelas con un trapo.

Revestir suelos

Los preparativos

Hay unos pasos imprescindibles: elegir el material necesario, preparar el suelo para que esté limpio y plano, y planificar las tareas para establecer un programa de trabajo detallado. Elija formas y formatos clásicos, como cuadrados o rectángulos de 10 a 20 cm de lado, si no es un solador experimentado. Cuanto más complicadas sean las formas, y mayores los tamaños, tanto más difícil será colocar las baldosas.

Un pequeño consejo: antes de empezar, mezcle las baldosas de cajas distintas para obtener un embaldosado de aspecto más armonioso y deseche las defectuosas.

La preparación del suelo

Un embaldosado puede colocarse sobre cualquier revestimiento antiguo, siempre que el suelo esté en perfecto estado. Antes de colocar el nuevo revestimiento, ha de preparar muy bien el suelo para que el resultado sea satisfactorio y duradero.

En primer lugar, ha de efectuar las reparaciones necesarias, como sellar las baldosas despegadas, tapar los agujeros y las juntas defectuosas, reparar las lamas rotas del parquet, encolar las losas de vinilo...

Limpie después el suelo con un detergente de resina de pino, aclare bien con agua limpia y deje secar. Tras esta primera operación, aplique una imprimación de adherencia para facilitar el encolado y proceda a un revocado para nivelar la superficie (croquis en p. siguiente). Deje secar y endurecer.

Sobre un parquet antiguo, extienda, además, una malla de fibra de vidrio entre la imprimación de adherencia y el mortero de nivelación (revocado). También puede elegir un mortero de nivelado armado con fibras sintéticas.

Un embaldosado bien aislado

Si sustituye un embaldosado por un revestimiento de suelo flexible, como moqueta, vinilo o corcho, debe cumplir la reglamentación acústica pertinente. Conviene colocar las baldosas sobre un material resistente aislante para atenuar la transmisión de los ruidos de impacto (choques, ruidos de pasos, etc.). Esta normativa ha llevado a muchos fabricantes a estudiar sistemas aislantes de escaso grosor con el objetivo de no crear una altura excesiva en la entrada de una habitación; sin dejar de cumplirla, algunos sistemas no sobrepasan los 25 mm (baldosas incluidas). Se presentan en kits y contienen un material resistente aislante, mortero-cola, cintas de espuma plástica... y están preparados para tratar una superficie de 15, 30 o 60 m².

Por razones de estética, haga lo posible para que los cortes situados junto a las paredes tengan la misma anchura.

Con este mortero, especial para soportes de madera, puede prescindir de la malla de fibra de vidrio.

Sobre losas de vinilo, colocar un enlosado puede dar muchos problemas si las losas no están bien adheridas. Si tiene la menor duda, lo mejor será quitarlas. Si no es así, lije el vinilo, límpielo y extienda una imprimación de adherencia y, luego, un revocado de nivelación.

Algunas losas de vinilo se pueden haber pegado con asfalto, que es especialmente difícil de quitar. En este caso, llame a un profesional o renuncie a colocar baldosas sobre este tipo de revestimiento.

Sobre un embaldosado viejo

1. Baldosas viejas. 2. Imprimación de adherencia. 3. Mortero de revoque. 4. Nuevo embaldosado.

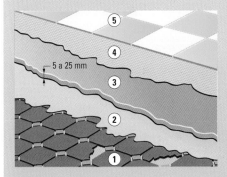

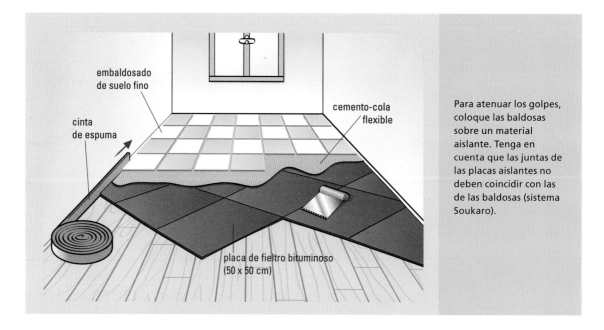

embaldosado
de suelo fino

cinta
de espuma

cemento-cola
flexible

placa de fieltro bituminoso
(50 x 50 cm)

Para atenuar los golpes, coloque las baldosas sobre un material aislante. Tenga en cuenta que las juntas de las placas aislantes no deben coincidir con las de las baldosas (sistema Soukaro).

Planificación

Antes de empezar a colocar las baldosas, es imprescindible planificar el trabajo. Esto le permitirá, ante todo, decidir el sistema de colocación (recto o en diagonal), la disposición de los motivos y el emplazamiento exacto de los cortes. Aquí le indicamos el modo de proceder (secuencia).

Por motivos estéticos, intente que los cortes situados a lo largo de las paredes sean de la misma anchura, y acabe con una hilada de baldosas enteras junto a la puerta de entrada. En esta planificación, también puede elegir alternar los colores, dibujar un motivo central, etc.

Planificación de la superficie que se va a embaldosar

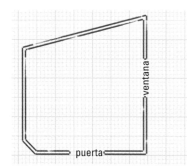

ventana

puerta

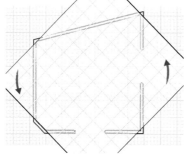

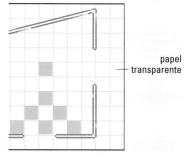

papel
transparente

1. Haga un plano de la habitación a escala reducida. Con una escala 1/50 (1 = 2 cm), un espacio de 4,5 x 3 m, por ejemplo, equivale a 9 x 6 cm. Sobre una hoja de papel de calcar, dibuje una cuadrícula que represente el embaldosado a la misma escala que el plano. Tenga en cuenta la anchura de las juntas que separan las baldosas.

2. Superponga los dos planos y deslícelos uno sobre otro para encontrar la mejor forma de colocar las baldosas. ¿En posición recta o en diagonal?

3. Delimite el embaldosado trazando el perímetro de la habitación sobre el papel de calcar, cuando la colocación sea la adecuada. Cuente el número de baldosas necesarias. Por precaución, calcule de 10 a 15 % de baldosas suplementarias.

Las baldosas pequeñas son más fáciles de colocar porque reducen el número y la complejidad de los cortes.

La colocación

El embaldosado puede colocarse en sentido perpendicular o en diagonal. En ambos casos, utilizando una regla, es primordial guiarse sobre las perpendiculares o diagonales trazadas previamente en el suelo En una primera fase, solo se colocan y se fijan con cemento-cola las piezas enteras.

Colocación en seco

La pavimentación debe empezar siempre con dos ejes perfectamente perpendiculares. Para colocar las baldosas rectas, tire una línea a partir de la puerta de entrada. Mediante un cordel de trazar, trace una línea XY perpendicular al suelo (croquis 1). Coloque después en seco a lo largo de este eje una hilada de baldosas, sin olvidar las juntas, empezando por una baldosa entera junto a la puerta. Esta presentación sin cola permite elegir la solución más estética o que mejor soluciona los cortes. Trace después otra línea AB perpendicular a la primera y coloque también una hilada de baldosas enteras. La disposición en seco de estas dos hiladas perpendiculares permite graduar la anchura de las baldosas cortadas que quedan junto a los zócalos. La línea AB debe situarse lo más lejos posible de la puerta, para poder colocar las primeras baldosas sin tener que pisarlas al salir de la habitación. La colocación en diagonal sigue el mismo principio, pero varía el trazado de las líneas de guía. Cuando la disposición sea la apropiada, empiece a fijar las baldosas con el cemento-cola.

Colocación recta

Tras realizar un planteamiento previo, puede empezar a fijar las baldosas. Si las coloca en línea recta (croquis 2), proceda del siguiente modo:
▶ Coloque una regla a lo largo de la línea AB y fíjela con dos clavijas clavadas en el suelo o simplemente con dos topes en los extremos. Cálcela para que no llegue a tocar el suelo y déjela levantada aproximadamente 1 cm.

1. Alinear las baldosas sin cola a lo largo de dos ejes perpendiculares permite, entre otras cosas, definir con exactitud la anchura de los cortes.

2. En caso de colocarlas rectas, desplace siempre la regla hacia la puerta, avanzando un valor de la escala igual a la anchura de dos baldosas y dos juntas.

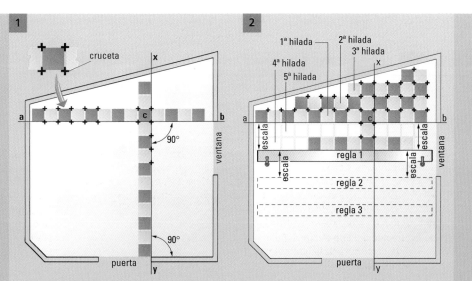

▶ Prepare el cemento-cola. Fije la primera hilada respetando escrupulosamente la posición de las baldosas determinada en la presentación en seco, y, en particular, la de la cuadrícula C, que corresponde a la intersección de los dos ejes.

▶ Extienda el mortero cola con la paleta sobre una superficie reducida, equivalente a varias baldosas, y luego ajuste su grosor con una llana dentada (recuadro). Mantenga la llana derecha o con una ligera inclinación respecto al suelo para peinar el mortero de forma regular.

▶ Coloque las baldosas sobre la cola. Asiéntelas dando unos golpecitos con el mango de una herramienta. Han de penetrar perfectamente en la capa de cemento-cola. Con baldosas muy grandes, aplique un doble encolado, en el suelo y en las baldosas. Corrija los errores cuando el adhesivo todavía esté húmedo; si se seca, ya será demasiado tarde.

▶ Cuando haya colocado varias baldosas, utilice un aplanador para dar ligeros golpes sobre toda la superficie, y vaya comprobando la nivelación con un nivel de burbuja colocado sobre una regla metálica larga. Vaya limpiando las rebabas con una esponja húmeda a medida que va avanzando.

▶ Coloque después la segunda hilada de baldosas, y luego la tercera hilada, ambas situadas sobre la línea AB. Utilice las crucetas para dejar unos espacios regulares y bien alineados entre cada hilada.

▶ Cuando haya colocado todas las hiladas situadas por encima del eje AB, deberá desplazar la regla para continuar la pavimentación. Previamente, asegúrese de que el cemento-cola haya empezado a fraguar, es decir, que ya no esté blando, pero tampoco completamente endurecido. Retire entonces las crucetas y lávelas en un recipiente con agua caliente, antes de utilizarlas otra vez para colocar las hiladas siguientes.

Ajuste de la escala

▶ Deslice la regla sin movimientos bruscos para no desplazar las baldosas recién puestas. Sepárela de la línea AB en dirección a la puerta, respetando el valor de la escala (croquis 2 p. 95). En principio, este valor corresponde a la anchura que ocupan dos hiladas de baldosas más la anchura de las juntas. Por ejemplo, para un pavimento formado por baldosas de 15 x 15 cm y separadas por una junta de 3 mm de ancho, el valor de la escala será de 306 mm. Para mayor precisión, corte dos trozos de calzo de la longitud del espaciado y utilícelos como plantilla para ajustar la posición de la regla.

▶ Empiece a pegar la cuarta hilada cuando la regla esté perfectamente paralela a la línea AB. Coloque las baldosas contra la regla, usando crucetas para marcar el espacio de las juntas. Pegue después la quinta hilada, colocando las baldosas entre la primera y la cuarta. Este modo de proceder permite ir compartimentando la superficie y evita que los errores se acumulen.

▶ Siga colocando piezas hasta llegar al umbral de la puerta; pegue solo las baldosas enteras. En los bordes, deje el suelo sin cubrir, de modo que al colocar las baldosas cortadas pueda utilizar cola «fresca».

▶ Deje secar y endurecer el cemento-cola durante 24 horas, y, después, una vez transcurrido ese plazo, coloque uno o dos tablones sobre el embaldosado para poder andar por encima sin que se hunda. Solo entonces podrá pasar a los acabados, es decir, los bordes y el rejuntado (pp. 100-101).

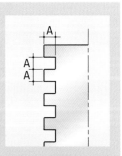

Las llanas dentadas tienen dientes de distintas anchuras, que hay que elegir según el producto que se va a aplicar (cola para madera, cola para revestimientos...) y el tipo de baldosa que se va a colocar.

Colocación en diagonal

La colocación en diagonal puede efectuarse siguiendo dos métodos: uno obliga a girar alrededor de un punto central (secuencia), y el otro se basa en la colocación recta.

El método de rotación

▶ Igual que en la pavimentación recta, primero hay que efectuar un trazado. Basándose en la planificación, y con ayuda de un cordel de trazar, marque en el suelo dos líneas perpendiculares, AB y CD, que dividan la

Primeras etapas para la colocación en diagonal

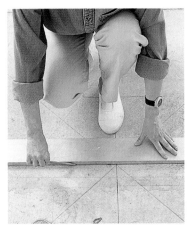

1. Trace las diagonales que dividen la habitación en cuatro zonas, así como las dos rectas perpendiculares a las paredes. En esta primera fase, el trazado debe efectuarse sobre un suelo plano y seco.

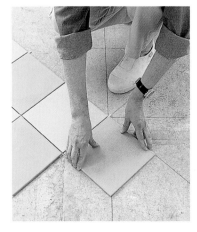

2. Coloque algunas baldosas en seco, sin cola, para ajustarse al dibujo previsto en la planificación. Disponga las baldosas en pilas de colores diferentes para no intercambiarlas al colocarlas.

3. Prepare el cemento-cola. Amase el cemento con agua para obtener una pasta homogénea. No prepare demasiada cantidad de cemento-cola a la vez; algunos ya no se pueden usar al cabo de 1 o 2 horas.

4. Utilice una llana dentada para peinar el cemento-cola de forma regular. Mantenga la hoja vertical, o ligeramente inclinada hacia el suelo, para formar una capa de grosor homogéneo.

5. Coloque las baldosas y apriételas para aplastar los surcos dejados por la llana. El cemento, de un espesor homogéneo, debe adherirse a la vez al suelo y a la baldosa.

6. Golpee la superficie embaldosada con un pisón de madera y una maza de caucho. Muévase, si es preciso, para buscar la mejor posición; el objetivo es asegurar la adherencia y unificar el nivel del embaldosado.

Combinar la colocación recta con la colocación en diagonal puede contribuir a que su suelo quede más estético y original.

habitación en cuatro zonas, y luego dos diagonales que indiquen el sentido de la colocación. Las perpendiculares AB y CD, así como las diagonales, determinan un punto O, situado, aproximadamente, en el centro de la habitación. Fíjese en que, según la forma de la estancia, las diagonales no pasan siempre por las esquinas (croquis 1).

▶ Coloque ahora una regla a lo largo de una diagonal y fíjela mediante dos clavijas. Coloque las baldosas en seco sobre el primer cuarto de la habitación, apoyándose sobre la regla y respetando el orden indicado por los números 1-2-3-4-5, etc. Este montaje en seco sirve de ensayo: ¿puede poner las baldosas más alejadas de la regla sin tocar las piezas ya colocadas? Es decir, debe colocar la baldosa n.º 6 sin pisar la n.º 2, ni la nº 3 o la nº 4. Si el resultado es satisfactorio, prepare el cemento-cola y coloque todas las baldosas enteras del primer cuarto de la habitación. Prosiga con el segundo cuarto (baldosas n.º 9-10-11...), etc.

Cuidado: esta técnica de colocación, atractiva y rápida, que se usa a menudo para colocar las losas adhesivas, no siempre es apropiada para las baldosas, sobre las que no es posible andar antes de que el cemento-cola se haya secado por completo. Si tiene dudas sobre los resultados, opte por un método de colocación más clásico.

El método clásico. Se trazan las diagonales como en el método «en rotación», pero la colocación es similar a una colocación recta. Le explicamos a continuación el procedimiento a seguir (croquis 2). Trace primero una línea XY, paralela a una de las diagonales. Coloque una regla a lo largo de esta línea y manténgala en su sitio con un peso en cada extremo. Prepare el cemento-cola y coloque todas las baldosas enteras situadas por encima de la regla. No se olvide de las crucetas para que las juntas sean iguales. Desplace luego la regla hasta la posición 2 respetando el valor de la escala, como para la colocación recta. Pegue las baldosas apoyándolas contra la regla y alinéelas perpendicularmente para seguir la dirección de la segunda diagonal. Avance así hasta llegar al umbral de la habitación (posición 4) y luego cambie el sentido de la colocación. Utilice una regla corta y trabaje reculando desde la ventana hacia la puerta. Coloque todas las baldosas enteras y deje endurecer el cemento-cola durante 24 horas antes de continuar.

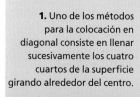

1. Uno de los métodos para la colocación en diagonal consiste en llenar sucesivamente los cuatro cuartos de la superficie girando alrededor del centro.

2. La colocación en diagonal puede plantearse también como una colocación recta, pero siguiendo la inclinación de las diagonales.

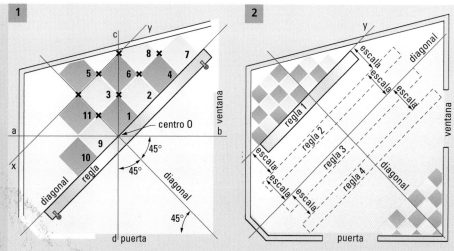

Bordes, juntas y zócalos

La colocación de los bordes tiene lugar al final, cuando se han colocado todas las baldosas enteras y el cemento-cola se ha estado secando durante un día. En cambio, deberá esperar a que todo el suelo esté completamente endurecido, para sellar las juntas con mortero hidrófugo y limpiar todo el pavimento.

Material de corte

Las baldosas del suelo, que, por lo general, son bastante gruesas, no se cortan fácilmente. Lo mejor es alquilar las herramientas apropiadas. También se aconseja utilizar una mascarilla y unas gafas para protegerse de las esquirlas de la cerámica.

El cortaazulejos. Provisto de un carril con una palanca que lleva una ruedecilla de carburo de tungsteno, esta herramienta manual puede cortar casi todas las baldosas de suelo, con mayor o menor precisión, según su calidad. Antes de alquilar o comprar una, pida que le dejen probarla. Procure que el mango sea bastante largo, para transmitir un esfuerzo importante al separador. Intente cortar en diagonal, porque algunos aparatos mal diseñados cortan las baldosas, ¡pero rompen los ángulos! Para usar el cortaazulejos, coloque la baldosa sobre la base, ajuste el tope graduado y empuje para que la rueda dentada raye la superficie. Retroceda y apriete la palanca para que el separador rompa en dos la baldosa siguiendo el trazado.

La tronzadora eléctrica. Fácil de transportar, es una máquina pequeña (15 kg) provista de un disco diamantado sin dientes, lubrificado con agua. Esta técnica permite cortar los materiales más duros, como gres o mármol, con una precisión considerable. Antes de comprar o alquilar un aparato de este tipo, compruebe el estado del disco, puesto que para realizar cortes precisos no debe estar torcido. Haga que verifiquen también el estado del circuito eléctrico, ya que la máquina funciona con un depósito lleno de agua, que evita el calentamiento de la baldosa y la formación de polvo.

Este tipo de tronzadoras no tiene igual cuando se trata de cortes rectos o de ángulos biselados a 45º. La mayor parte de los modelos disponen de una mesa reclinable, imprescindible para cortar bien los zócalos.

> Es aconsejable a veces proteger el embaldosado con un plastificante líquido para evitar las manchas. Este producto se aplica con una esponja después del sellado y se limpia con agua. Aplique esta protección si utiliza un mortero para juntas muy pigmentado (gris acero, antracita, etc.), o si el tipo de baldosas que ha colocado es ligeramente poroso.

Con un cortaazulejos se pueden efectuar cortes precisos.

Ajustar los bordes

Antes de empezar los acabados, coloque unos tablones sobre el embaldosado para poder andar por encima. Ahora puede medir los espacios reservados a las baldosas de los bordes. Corte las baldosas sin olvidarse de descontar la anchura de las juntas. Prepare después un poco de cemento-cola y pegue en todo el perímetro las baldosas que acaba de cortar. Si no hay espacio suficiente para desplazar la llana dentada por el suelo, ponga el cemento-cola en la baldosa con una paleta antes de colocarla. Dé unos golpecitos a la superficie con un aplanador para nivelarla bien con las demás baldosas. Utilice crucetas para mantener la regularidad de las juntas y no se olvide de retirarlas antes de que el cemento-cola se endurezca.

Sellar las juntas

Para sellar las juntas de un solado, lo mejor es el mortero hidrófugo de colores clásicos (gris cemento, gris perla, gris acero), que se ensucia menos y es más resistente que los productos de colores vivos destinados a los alicatados. Si va a dejar juntas de escaso grosor (de 1 a 5 mm), elija un mortero hidrófugo fino, pero para juntas anchas (de 5 a 20 mm) utilice un mortero hidrófugo reforzado con arena silícea, cuya dureza es mayor. Después, proceda del siguiente modo:

1. Una paleta permite extender el mortero.

▶ Prepare el mortero, llamado también *barbotina*, con la cantidad exacta de agua indicada por el fabricante. No ha de amasar bruscamente la mezcla,

2. La hoja de caucho lo hace penetrar en las juntas.

sino removerla lentamente hasta que adquiera una consistencia líquida.
▶ Extienda el mortero sobre el suelo, y, a continuación, repártalo en todas las direcciones con una llana o espátula de caucho para que penetre en las juntas. Ha de cubrir hasta la superficie de las baldosas (fotos 1 y 2).
▶ Déjelo secar de 15 a 20 minutos, y luego elimine el mortero sobrante con la llana, trabajando en diagonal con respecto a las baldosas.
▶ Limpie el pavimento con una esponja o con una llana con esponja. Lave minuciosamente con agua antes de que las juntas se endurezcan. Para obtener juntas muy duras, manténgalas húmedas hasta el día siguiente. La llana permite limpiar el suelo sin abrir las juntas. Evite pisar las baldosas recién selladas; espere unas 24 horas antes de andar libremente por la habitación.

La tronzadora puede cortar el gres y el mármol.

Colocar un zócalo de losas

El zócalo solo es realmente útil si las paredes no están alicatadas. Las piezas especiales para zócalos se presentan con el borde superior redondeado; se encuentran disponibles piezas rectangulares y piezas cuadradas para las esquinas. Su colocación es similar a la de las baldosas normales. Si el suelo está inclinado, trace una línea horizontal a la altura del zócalo partiendo del rincón más bajo: las baldosas se colocarán siguiendo esta guía. Si la pared es irregular, guíese con una regla apoyada sobre dos baldosas de los extremos y coloque los zócalos con mortero. Empiece siempre por los ángulos o esquinas que sobresalen, porque es mejor que los cortes queden situados en los rincones. Para las esquinas salientes, use piezas de ángulo que tengan un lado redondeado.

Parquet
y machihembrados

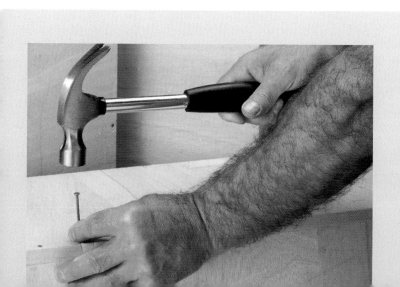

Los parquets

Elección del parquet

El parquet es un revestimiento sano, noble, duradero y confortable, que en la actualidad goza de gran estima. Las maderas que se utilizan ofrecen una amplia gama de tonos y distintos grados de resistencia (tabla). Las más utilizadas –roble, castaño o pino– proceden de Europa, mientras que las maderas tropicales de tonos más cálidos –teca, wengé o iroko– suelen reservarse para suelos de calidad.

Maderas para parquet

Maderas europeas. El parquet tradicional es de madera de roble. Atrae por su tono dorado, su resistencia y fácil mantenimiento. El castaño también es muy apreciado. Es tan duro como el roble, es una madera que prácticamente no puede pudrirse y, además, tiene la propiedad de alejar las arañas. La madera de haya también se solicita por su color, pero es muy vulnerable al agua. Respecto al pino, sus tonos claros y sus nudos, siempre muy visibles, se adaptan bien a ambientes más sencillos, aunque es una madera muy blanda, que hay que reservar para las habitaciones poco transitadas, por ejemplo, un dormitorio. Ninguna madera europea, a diferencia de las tropicales, soporta la humedad.

Maderas tropicales. Las maderas tropicales ofrecen una resistencia a toda prueba. El merbau, por ejemplo, es dos veces más duro que el roble. Todas ellas tienen una protección natural contra la humedad, por lo que pueden utilizarse también en cocinas y cuartos de baño. Su color es casi siempre intenso, y negro en el caso del wengé. En general, se emplean para decorar habitaciones muy luminosas, que pueden soportar un suelo bastante oscuro.

Una de las maderas tropicales más conocidas es la teca. No se pudre, es resistente y, como otras maderas tropicales, resulta especialmente indicada para habitaciones húmedas. Tratadas con antelación, algunas lamas de teca maciza, de 12 mm de grosor, se pueden ensamblar igual que para cubrir los puentes de los barcos, intercalando una masilla adhesiva entre cada lama, para asegurar tanto el encolado como la perfecta estanqueidad del revestimiento.

Maderas tropicales

Teca, generalmente asociada a la gama alta.

Wengé, la más oscura de las maderas tropicales.

Iroko, una madera tropical menos conocida.

Para un mantenimiento más fácil, un parquet antiguo puede vitrificarse. La vitrificación tiene dos ventajas: es una protección duradera y hace resaltar las vetas de la madera.

Un parquet de este tipo, de fácil mantenimiento, aporta calidad y calidez a cualquier habitación.

El éxito de la teca plantea un problema económico mundial, ya que las plantaciones de teca no bastan para abastecer la demanda, y en algunos países de Asia y Oceanía se está produciendo un auténtico saqueo de los bosques tropicales. Las siglas FSC (*Forest Stewardship Council*) indican que la madera procede de «bosques gestionados con criterios de sostenibilidad», es decir, que se ha respetado tanto la diversidad biológica como la regeneración de las

¿QUÉ TIPO DE MADERA ES ADECUADO PARA CADA HABITACIÓN?

Europeas

Maderas	Salón	Dormitorio	Recibidor/pasillo	Cocina	Baño
Abedul	no	sí	no	no	no
Castaño	sí	sí	sí	no	no
Roble	sí	sí	sí	no	no
Arce	sí	sí	sí	sí	no
Fresno	sí	sí	sí	sí	no
Haya	sí	sí	no	no	no
Pino	sí	sí	no	no	no

Tropicales

Maderas	Salón	Dormitorio	Recibidor/pasillo	Cocina	Baño
Iroko	sí	sí	no	no	no
Merbau	sí	sí	sí	sí	sí
Teca	sí	sí	sí	sí	sí
Wengé	sí	sí	sí	sí	sí

masas forestales. Los responsables de estas explotaciones se comprometen a llevar a cabo una gestión respetuosa con el entorno, socialmente benéfica y económicamente viable.

El parquet de bambú, más original, se distingue por la posición irregular de sus nudos y por sus sutiles reflejos. Gracias a sus fibras, particularmente tupidas, la caña de bambú produce una madera dura, lisa y suave. Transformada en lamas de parquet, con un barnizado previo, lo mismo puede emplearse en interiores de prestigio como en espacios muy frecuentados. Las lamas (bambú laminado encolado) se ensamblan por medio de ranuras y lengüetas, y la colocación se efectúa sobre un suelo perfectamente nivelado, sin pulido ni vitrificación. Este parquet puede encolarse sobre una capa acústica para amortiguar los ruidos.

© Artepy

La madera de bambú, dura y lisa, puede utilizarse en todas las habitaciones del hogar.

Diferentes tipos de parquet

Dejando a un lado las maderas y los efectos decorativos, los parquets se distinguen según la forma de los elementos y la técnica utilizada para ensamblarlos. Si los parquets tradicionales pueden presentar motivos muy sofisticados, los parquets mosaicos o de recubrimiento resultan más sobrios, pero son más fáciles de colocar.

Los parquets macizos en lamas. Un parquet tradicional está formado por lamas de madera maciza, que se ensamblan unas con otras mediante ranuras y lengüetas. Este ensamblaje se fija con clavos sobre un armazón de vigas y correas previamente empotrado en el suelo (croquis). Las lamas suelen presentar anchuras de 4 a 15 cm, aproximadamente, y grosores que varían, según el tipo de madera, de unos 15 a unos 25 mm, aunque lo normal son 23 mm.

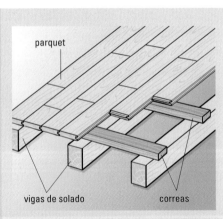

Ensamblaje de un parquet tradicional sobre vigas de solado y correas.

Ensamblaje de parquets macizos. En el caso de los parquets tradicionales, lo que permite formar diferentes motivos es la disposición de las correas y las distintas longitudes de las lamas. Véanse a continuación las principales formas de presentación:

▶ **Ensamblaje a la inglesa.** El ensamblaje a la inglesa se realiza de dos modos: a corte perdido o a corte de piedra. Se habla de corte perdido cuando las lamas de longitudes desiguales se disponen de extremo a extremo sin tener en cuenta la posición de las juntas. En la colocación a corte de piedra, las lamas de longitudes iguales se ensamblan de un extremo a otro alineando las juntas.

La cota de desgaste

Sobre una lama de madera maciza, la cota U corresponde al grosor de desgaste: 7 u 8 mm, aproximadamente. Cuanto mayor es esta medida, mayores son las posibilidades de cepillar o pulir el parquet para renovarlo completamente. Esto explica la gran longevidad de los parquets tradicionales.

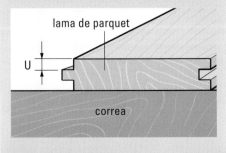

▶ **Ensamblaje espinapez.** El ensamblaje espinapez se efectúa con lamas cortas, formando una disposición en V.

▶ **Ensamblaje de punta Hungría.** El ensamblaje de punta Hungría se realiza con lamas cortas, con los extremos recortados en un ángulo de 45º, y que se clavan sobre las carreras. Obsérvese que para realizar este ensamblaje hay que disponer de dos tipos de lamas: izquierdas y derechas.

Según el principio que se adopte para la colocación, se obtienen distintos efectos, que van desde una gran sencillez a la mayor sofisticación posible.

Los parquets mosaico. El parquet mosaico está compuesto de pequeñas lamas de madera dispuestas de lado a lado y preensambladas en losetas cuadradas de 10 a 30 cm de lado. El preensamblaje se obtiene bien con la ayuda de una malla pegada por debajo, bien con un papel kraft o con una película plastificada, aplicados en la superficie para mantener las lamas unidas entre sí hasta el momento de colocarlas. Este tipo de parquet presenta un grosor de 6 a 10 mm de madera maciza. La colocación se efectúa casi siempre mediante encolado.

Diversos tipos de ensamblajes

Ensamblaje en espinapez.

Ensamblaje en puntos de Hungría.

Ensamblaje a la inglesa. Se caracteriza por las lamas de distintas longitudes, colocadas de extremo a extremo. Eventualmente, como en este caso, también la anchura de las lamas puede ser diferente.

A la izquierda, panel Chantilly; a la derecha, panel Versalles.

© Marty

Los parquets de recubrimiento. Los parquets de recubrimiento, también llamados *parquets flotantes*, se presentan en lamas o losetas de poco grosor. Se ensamblan y se colocan directamente sobre el suelo, sin ningún sistema de fijación, de donde proviene el calificativo de «flotante». Debe instalarse sobre una capa de aislante acústico.

Estos parquets están compuestos generalmente de tres capas, pegadas una contra otra. Encima, la capa de desgaste, unos milímetros de madera maciza; en el medio, la capa más resistente, de laminado, machihembrado o aglomerado; y, debajo, una capa de madera resinosa desplegada. El grosor total varía de 8 a 15 mm aproximadamente. Con este tipo de parquet, de grosor calibrado y barnizado en fábrica, no es preciso pulir ni barnizar para el acabado de la superficie.

El estratificado

El estratificado, igual que un milhojas, está formado por una superposición de varias hojas de papel, tratadas e impregnadas con resinas termoendurecidas (melamina).

El parquet macizo se adapta a todos los estilos y todas las preferencias.

Parquet de baldosas de madera

A veces, se cortan directamente del corazón de los troncos unas baldosas de madera para formar con ellas revestimientos sobrios y robustos. La madera que se utiliza con esta finalidad muestra los anillos de crecimiento del árbol y ofrece un aspecto decorativo sorprendente, así como una buena resistencia al desgaste.

© Eristo

El estratificado suele encontrarse en lamas que imitan el acabado de distintos tipos de madera.

Calentado y sometido a importantes presiones, se obtiene al final un revestimiento del tipo Formica, Polyrey, etc. Contracolado sobre un soporte de fibras, forma paneles estratificados rígidos, con una cara decorativa, que entre otras aplicaciones se usan como revestimientos de suelo.

La apariencia de un parquet. Confortables, relativamente resistentes y de fácil mantenimiento, los suelos estratificados se encuentran tanto en colores lisos como imitando a la perfección los distintos tipos de maderas. A veces se presentan en forma de losas, pero más a menudo en forma de lamas y se venden por metro cuadrado. En general, reproducen los tipos de ensamblaje de parquet más conocidos, a la inglesa o en puntos Hungría, por ejemplo. Igual que los parquets de recubrimiento en madera, son productos acabados en fábrica, que no requieren pulido ni vitrificación. Debido a su reducido grosor, que suele ser de 7 a 8 mm, se colocan «flotantes» en casi todos los suelos. El ensamblaje de algunos estratificados no necesita cola, porque las lamas están engarzadas unas dentro de otras. De este modo, el revestimiento de suelo puede utilizarse enseguida, y, si se da el caso, puede desmontarse para una mudanza.

Distintos criterios para la elección. Si bien el aspecto del estratificado es un punto importante a la hora de elegir, no hay que descuidar su resistencia al desgaste. Escoja también el revestimiento teniendo en cuenta el uso a que piensa destinarlo: la norma europea EN 685 clasifica los productos en función de este criterio. Para satisfacer plenamente esta norma en su uso doméstico más intensivo (clase 23), algunas empresas fabrican productos «alta presión», en los que se incorporan partículas de óxido de aluminio, que refuerzan la dureza del material. En este caso, el producto está garantizado contra el desgaste, las manchas y la decoloración por efecto de la luz.

Clasificación europea

Clase 21. Uso moderado. Salón y habitaciones de una vivienda de poco tránsito.

Clase 22. Uso normal. Todas las habitaciones de una vivienda ocupada por una pareja con hijos (tránsito medio).

Clase 23. Uso importante. Todas las habitaciones de una vivienda sometidas a tránsito intenso con zonas de mucho paso.

Un revestimiento estratificado no es el más adecuado para los cuartos de baño y otras dependencias con mucha humedad. A pesar de que la superficie es estanca, el agua puede filtrarse por los bordes y provocar que el material se hinche.

Este parquet de roble pulido y barnizado lo mismo puede colocarse encolado que flotante.

Elección del parquet

El aspecto estético del parquet, que depende tanto de la madera como de los motivos del ensamblaje, no es el único criterio para elegir. El estado del suelo, la forma del lugar y su uso también son importantes.

Las limitaciones técnicas. La colocación de un parquet tradicional, de lamas de madera maciza, requiere una profundidad suficiente para colocar las vigas y las correas. Un parquet espinapez exige una habitación de grandes dimensiones, que permita distribuir los paneles de motivos grandes. Otro tipo de parquet obligará a extender una capa de hormigón...Son limitaciones que pueden llegar a condicionar la elección. Si desea colocarlo usted mismo, es preferible pecar de modestos y prescindir de los ensamblajes muy complicados. Para colocar ciertos motivos se requieren conocimientos profesionales. En cambio, la colocación de un parquet de revestimiento no plantea grandes dificultades. Algunos se ensamblan sin cola ni clavos, simplemente encajando las lamas.

La duración de los parquets. El baremo Brinell permite clasificar las maderas en función de su densidad (blanda, semidura, dura...). Cuanto más alto sea el valor alcanzado en esta prueba, más dura será la madera y mejor su resistencia a la perforación (caídas de objetos, pisadas de tacones de aguja, etc.). Esta clasificación permite elegir la madera en función del uso que se da a la habitación. Hay que tener en cuenta que un parquet tiene mucho más uso en un vestíbulo de entrada que en un dormitorio.

Un parquet de teca barnizado y ensamblado con juntas de masilla de polímero es perfectamente estanco.

Calcular las necesidades. El cálculo de la cantidad necesaria de parquet se hace en metros cuadrados, incrementando un poco la superficie calculada para compensar posibles fallos en la colocación. Si se trata de un parquet de losetas cuadradas, haga una planificación previa sobre papel milimetrado y cuente exactamente el número de piezas necesarias. Si va a pasar un pedido, basta con indicar las dimensiones de la habitación, puesto que los distribuidores disponen de programas informáticos que les permiten calcular el número de paquetes necesarios para cubrir determinada superficie.

© KAHRS

Parquet encolado y parquet flotante

El ensamblaje a la inglesa aporta calidez a este interior tan estructurado.

La mayoría de los parquets pueden ser encolados o flotantes. Los fabricantes suelen indicar el método que hay que preferir. Tienen un buen agarre en casi todos los tipos de suelos, y no requieren más que una superficie perfectamente limpia y plana.

Los principios del parquet encolado

El sistema de encolado se aplica a los parquets formados por lamas sobrepuestas o con lamas macizas de escaso grosor. El suelo debe ser sólido, seco y limpio. Hay dos técnicas para colocar un parquet encolado: el encolado «en capa continua» y el encolado «a tiras». La primera se suele reservar para los parquets llamados mosaicos, formados por pequeñas tablillas; la segunda, para lamas de cierta longitud. Sin embargo, la colocación y el tipo de cola (recuadro) más apropiados están indicados, en general, por el fabricante. Si la calefacción es radiante, es decir, va por el suelo, es aún más importante respetar rigurosamente las indicaciones.

La colocación en capa continua. La colocación en capa continua consiste en extender una capa de cola sobre toda la superficie del suelo para fijar las lamas, las placas o las losas del parquet. Use la cola indicada por el fabricante

Cuatro tipos de colas

Utilice sólo las colas recomendadas por el fabricante del parquet: cola vinílica para parquet sin pulir y cola especial para parquet barnizado. Y, sobre todo, para un parquet barnizado, nunca mezcle cola con. Respete escrupulosamente los tiempos de secado.
Hay cuatro tipos de productos:
- Cola vinílica tradicional al agua, cuya adherencia se produce por evaporación y absorción (tanto por parte del parquet como del soporte).
- Cola vinílica disuelta, que se adhiere por la evaporación y la absorción de los disolventes por el soporte.
- Cola de poliuretano de dos componentes, cuya adherencia se produce por reacción química entre ambos componentes. Resulta un poco más cara que las colas vinílicas.
- Cola acrílica: es la última en aparecer y no es contaminante.

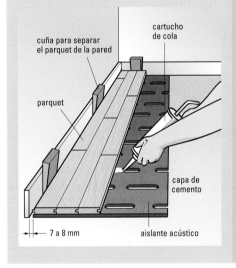

del parquet y aplíquela con una espátula dentada, cuyos dientes tengan la anchura adecuada para respetar escrupulosamente la cantidad establecida. Procure ser meticuloso, porque el exceso o la falta de cola haría que el parquet se levantase prematuramente. Para reducir los impactos sonoros, se recomienda instalar previamente una capa amortiguante.

La colocación en tiras. La colocación del parquet encolado en tiras consiste en extender unas tiras de cola mediante un dosificador con boquilla. Cuando haya decidido el sentido de colocación, extienda en el suelo unas tiras de cola, separadas entre sí unos 15 cm, en sentido perpendicular a las lamas. Encaje estas últimas unas con otras y presione encima para aplastar las tiras de cola. Intente que el parquet no llegue a tocar la pared, dejando un espacio de 7 a 8 mm y utilizando unas cuñas por todo el perímetro de la habitación. Deje secar la cola 48 horas y después retire las cuñas. Coloque luego un zócalo para tapar el espacio que ha dejado entre el parquet y la pared.

Encolado sobre un aislamiento acústico calado

El parquet está pegado al suelo sobre unas placas aislantes caladas. Los cordones de cola se introducen en los calados de la placa, destinados a este uso.

cuña para separar el parquet de la pared

cartucho de cola

parquet

capa de cemento

7 a 8 mm

aislante acústico

Placas acústicas caladas

Si quiere instalar el parquet sobre una capa aislante, elija las placas acústicas caladas. Estas placas de fibras de madera bituminadas, de 5 mm de grosor, tienen unas perforaciones alargadas para depositar la cola. Constituyen un buen aislante, y con las perforaciones garantizan que los cordones de cola queden espaciados de forma regular. La colocación es simple (croquis): extienda las placas en el suelo, inyecte la cola en las perforaciones previstas para tal fin, y coloque perpendicularmente las lamas por encima.

Atención: una capa de corcho, de fieltro, de espuma sintética, etc., colocada bajo el parquet atenúa los ruidos. Si el revestimiento antiguo es una moqueta, puede servirle también para esta finalidad, a condición de que sea suficientemente lisa y no esté muy deteriorada.

La cola debe extenderse con una espátula dentada, respetando las proporciones y las indicaciones del fabricante.

Parquet flotante

El parquet flotante es un parquet delgado, que se coloca directamente sobre el suelo, sin fijación. Hay que encolar y encajar las lamas, pero el revestimiento en conjunto es independiente de las paredes y del suelo para no soportar contracciones: ¡flota!

Antes de empezar, desmonte los zócalos existentes y asegúrese de que el suelo esté limpio y sea plano. Si los agujeros y relieves sobrepasan los 2 mm, no dude en efectuar un revocado.

Si existe riesgo de humedad, extienda previamente una lámina de polietileno: las tiras tienen que solaparse al menos 20 cm y subir algunos centímetros por la pared. Para mejorar el aislamiento acústico, cubra después esta película de plástico con un material resistente, por ejemplo, un rollo de corcho.

Las primeras lamas. La primera lama debe colocarse siguiendo la pared más larga o en el sentido de la entrada de la luz. Si la pared no es recta, recorte la lama para adaptarla a las irregularidades.

▶ Colóquela después con la ranura hacia la pared. No se olvide de instalar unas cuñas de 7 a 8 mm entre la lama y la pared, y de respetar esta junta de dilatación en todo el perímetro de la habitación.

▶ Coloque la segunda lama a continuación de la anterior: encole la ranura y encaje la lama. Si la lama es demasiado larga, córtela teniendo siempre en cuenta los milímetros de holgura. Coloque unas cuñas para inmovilizar el encolado.

▶ Empiece la segunda hilada con el trozo de lama sobrante. A medida que vaya avanzando el montaje, evite que las las juntas de una hilada queden alineadas con las de otra contigua; espácielas al menos 50 cm.

Para colocar un parquet flotante

1. Aplique la cola por el lado de la ranura. Mantenga el bote de cola ligeramente inclinado, para depositar bien la cola sobre las pestañas que sobresalen, no sobre el fondo de la ranura, porque dificultaría el ensamblaje.

2. Coloque la lama en su sitio. Encájela con un martillo, interponiendo un mártir para proteger el borde de la lama. Para trabajar con más comodidad, no dude en colocarse encima del parquet, siempre que sea posible.

3. Corte las últimas lamas. Con una lama situada sobre la antepenúltima hilada, y con un resto apoyado contra la pared, haga el trazado del corte. Desplácelo el valor de la holgura y siérrelo.

4. Coloque las últimas lamas de lado, después de encolar la ranura. Encájelas con una uña metálica y un martillo. Apriételas contra las otras lamas y respete la holgura entre la pared y el parquet.

© KAHRS

© LAPEYRE

Este parquet de pino con lamas anchas y nudos muy visibles puede barnizarse o vitrificarse.

Las últimas etapas. Para colocar sucesivamente las distintas hiladas, se sigue la misma técnica (secuencia).

▶ Procure, sobre todo, extender la cola sobre las pestañas de la ranura; una cola blanca con un bote dosificador es perfectamente adecuada. Solo el corte y el ajuste de la última lama son un poco complicados.

▶ Cuando haya terminado de colocar el parquet, deje secar la cola durante 24 horas. Evite andar por la habitación durante el tiempo de secado.

▶ Retire las cuñas y coloque los zócalos para tapar la holgura que ha quedado entre las lamas y la pared. Clave los zócalos en las paredes teniendo en cuenta la dilatación del parquet.

Encajar las lamas al final de la hilada

Para que agarren mejor, encaje la lama con una uña metálica y un martillo.

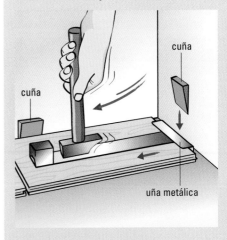

cuña

cuña

uña metálica

Este parquet de madera de haya barnizada es fácil de limpiar y no suele rayarse... ¡ideal para la habitación de los pequeños!

Parquet flotante enclipado

En este tipo de parquet de madera maciza, el sistema tradicional de ensamblado por ranuras y lengüetas se ha sustituido por dos perfiles (macho y hembra) que se engarzan como los trinquetes. Las lamas se colocan en seco, sin cola, con un simple movimiento de basculación. Este sistema tiene una doble ventaja, la facilidad de instalación y la posibilidad de desmontarlo. Es muy fácil, en efecto, desmontarlo y volverlo a montar en otro lugar. Para engarzar las lamas de una hilada sobre la otra, basta con colocar la lama de lado, encajar los dos perfiles y aplanarla hacia el suelo; apriete para oír el «clic» que indica el cierre. No se olvide de dejar en todo el perímetro de la habitación cierta holgura que permita la dilatación del parquet.

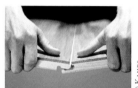

En un parquet flotante encliquetado, las lamas encajan por simple basculación del perfil macho sobre el perfil hembra.

Enclipar

1. Coloque la primera lama a lo largo de la pared, poniendo las cuñas de dilatación. Encaje la lama siguiente en la prolongación para completar la primera hilada.

2. Empiece la segunda hilada. Coloque la lama inclinada de lado, luego póngala plana y apriete para oír el «clic» que indica el cierre del sistema.

3. Golpee el borde de la lama para que se deslice hasta quedar ajustada con el extremo de la lama anterior. Golpee sobre un mártir para no dañar la madera.

Restaurar un parquet macizo

Solo los parquets antiguos tradicionales de madera maciza, gracias a su grosor, pueden restaurarse con un pulido, seguido de un tratamiento de acabado. La restauración se inicia siempre con una limpieza a fondo, para eliminar completamente la cera o encerados residuales. Basta con cepillar el suelo con detergente o con detergente de ceras naturales muy concentrado (100 g/litro). Si el parquet se había recubierto con una moqueta, puede rascar los

 En un parquet tradicional, los espacios que se encuentran entre las lamas equivalen a unas juntas de dilatación que permiten que la madera «trabaje». Por consiguiente, nunca debe cubrirlas con masilla de madera.

residuos de cola y de espuma sintética con una espátula o un raspador de mango largo. Si el parquet estaba pintado, use un decapante para ablandar y eliminar la pintura. Aclare y, después, deje secar. A continuación, debe examinar la superficie para detectar y reparar posibles defectos, como grietas, cabezas de clavo que sobresalen...

El pino es una madera blanda y de tonos claros que exhibe, además, unas vetas y unos nudos característicos. ▶

Pequeñas reparaciones

Todas las lamas rotas o agrietadas del parquet tienen que cambiarse. La primera operación consiste en retirar las lamas rotas, pero no en toda su longitud, sino únicamente la parte dañada comprendida entre dos carreras (secuencia A).

Trabaje con un serrucho de punta o una sierra de calar eléctrica. Cuando coloque la nueva lama, procure cepillar bien los cantos para que se introduzca con más facilidad entre las lamas contiguas (secuencia B). Finalmente, cuando haya terminado, después de una limpieza final, indispensable para que las hojas abrasivas no se atasquen enseguida, podrá pulir.

A. Retirar una lama rota

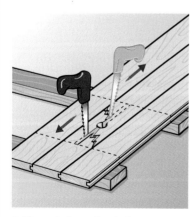

1. Sierre la lama hasta las carreras, a partir de un agujero realizado cerca de la rotura. Haga dos cortes paralelos separados, aproximadamente, 1 cm.

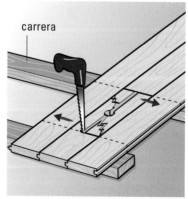

2. Retire la parte central, es decir, la parte comprendida entre los dos cortes, y luego sierre la lama perpendicularmente, justo a ras de las carreras.

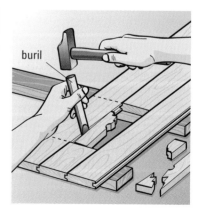

3. Elimine los trozos restantes con un buril y un martillo. Extráigalos de la ranura y de la lengüeta de las lamas adyacentes.

B. Colocar una nueva lama

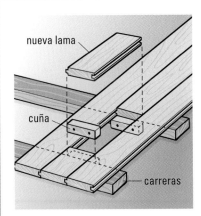

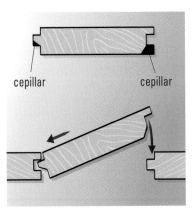

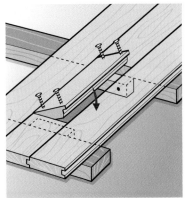

1. Pegue y atornille dos ristreles sobre las caras interiores de las carreras. Ajuste una lama nueva cortándola a la medida.

2. Cepille los dos bordes de la nueva lama: suprima la parte inferior de la ranura y rebaje también el perfil de la lengüeta. Encaje la lama inclinada.

3. Compruebe la horizontalidad. Atornille luego la nueva lama por los dos extremos sobre los ristreles. Remache las cabezas de los tornillos dentro de la madera y proceda al pulido.

Pulir el parquet

Conseguir el material apropiado. Para pulir un parquet, alquile un aparato potente, preferiblemente una pulidora de rodillo, más fácil de manejar que la rotativa.

Procúrese también una pulidora de cantos (foto 1), que es una máquina con un disco excéntrico que permite pulir a ras de los zócalos y en lugares de difícil acceso, como debajo de los radiadores.

Para llegar a las esquinas, puede utilizar una pulidora con patín triangular (lijadora delta) o, eventualmente, la hoja de un cepillo de carpintero a modo de raspador. Se aconseja llevar una máscara, gafas de protección y un protector de oídos para el ruido.

Efectuar tres pasadas. Un pulido cuidadoso se efectúa en tres pasadas, con bandas abrasivas cada vez más finas: primero de grano grande (36), después de grano medio (56-60), y, finalmente, de grano fino (100-120). Para colocarlas, incline la pulidora hacia un lado, desatornille la barra de ajuste con un destornillador y coloque la banda abrasiva nueva. Bascule la pulidora hacia atrás antes de empezar, y después deposítela suavemente en el suelo. La pulidora tiene tendencia a «correr», pero aguántela firmemente con las dos manos y camine hacia atrás haciendo pasar el cable eléctrico por encima de su hombro. Cuando llegue a los zócalos, incline la máquina hacia atrás antes de dar la vuelta. Cuando la pulidora empiece a correr el riesgo de atascarse, cambie enseguida el rodillo abrasivo, que entonces tendería a formar unos «regueros» que después es imposible eliminar. Si en algún momento la máquina no aspira el serrín, párela enseguida. Barra el suelo y pase la aspiradora antes de reanudar el pulido.

Tener en cuenta el sentido de las lamas. En los tres pulidos sucesivos, cada vez con una banda abrasiva más fina, deberá tener en cuenta el sentido de las lamas.

Si desea pulir un parquet con lamas rectas, efectúe una primera pasada en diagonal, una segunda pasada siguiendo la otra diagonal y, finalmente, un último pulido en el sentido de las lamas.

Para pulir un parquet en diagonal, efectúe una primera pasada a lo ancho, una segunda pasada en sentido longitudinal, y un pulido final en el sentido de las lamas.

1. Pulidora de banda; pertenece al grupo de las pulidoras de rodillo.

© BONA

2. Pulidora de cantos; es útil para pulir a ras de zócalo y también para los lugares de difícil acceso.

Teñido

A menos que prefiera encerar o vitrificar, después del pulido puede teñir la madera o aplicar una pintura para suelos.

Recubrimiento protector. Deja visible el dibujo de las vetas de la madera, coloreándolo ligeramente. El producto se aplica en dos capas, con el pincel, y, a continuación, debe protegerse con un barniz.

La cerusa (blanco de plomo). Se aplica con una espátula, después de haber vaciado los poros de la madera con un cepillo metálico para hacer resaltar el veteado de las lamas. Este colorante blanco debe fijarse a continuación con dos capas de barniz.

La pintura. La mayor parte de las pinturas para suelos son resinas de poliuretano. Están perfectamente indicadas para un parquet. Extienda una primera capa con el rodillo. Para un soporte poroso, debe rebajarse previamente con un 10 % de disolvente tipo aguarrás. Después de 8 a 12 horas de secado, quite cuidadosamente el polvo. Aplique la segunda capa sin rebajar. Si el brillo no es uniforme, puede pasar una tercera capa. Deje secar durante 48 horas antes de utilizar la habitación. El endurecimiento definitivo no se produce hasta después de 3 o 4 días.

La cerusa aporta un ligero tono blanquecino que ayuda a resaltar el veteado de la madera.

Cera o encáustico

La cera o el encáustico se utilizaban antiguamente para rematar el acabado de los parquets macizos. Se decía que habían sido desbancados por la vitrificación, pero son productos muy ecológicos y siguen encontrando adeptos. Aun así, tenga siempre en cuenta que cera y vitrificación son totalmente incompatibles.

Lo más práctico es utilizar cera líquida, diluida con un 10 % de aguarrás; es fácil de aplicar incluso si se usa una cera menos rebajada. Sobre un parquet recién pulido, se aconseja aplicar, además, una primera capa de un fondo duro: este fondo tapa los poros de la madera, lo que permite ahorrar encáustico sin dejar de obtener un brillo intenso. Aplique la cera diluida con un pincel, en capas finas, y déjela penetrar y secar, aproximadamente, unas 12 horas. Aplique la segunda capa a pincel o con la enceradora eléctrica. Saque brillo con un trapo limpio y seco.

Vitrificación

La vitrificación es una operación sencilla, pero larga. Tiene por objeto proteger el parquet de toda clase de agresiones, hacer más resistente la superficie y más fácil y económico el mantenimiento –un parquet vitrificado se puede limpiar fácilmente con una esponja...

La vitrificación se ha de efectuar en unas condiciones muy precisas:
- la madera no debe tener más de un 10 % de humedad;
- la temperatura de la habitación no debe ser superior a 12 ºC;
- la calefacción debe estar varios días sin funcionar.

Para la primera capa de barniz, trabaje con una brocha de vetear siguiendo la dirección de las vetas de la madera (secuencia).

▶ Deje secar de 2 a 6 horas. Pula con papel de vidrio fino para asegurar la adherencia.

▶ Quite el polvo antes de aplicar la segunda capa.

▶ Deje secar al menos 24 horas.

Para un uso normal, dos capas son suficientes. La principal dificultad es trabajar sin interrupciones, con movimientos amplios y sin volver atrás, para aplicar el producto de manera uniforme. El barniz adquiere el 80 % de su dureza en dos días: entonces se puede andar con cuidado sobre el parquet, pero el secado definitivo no se produce hasta que han transcurrido 8 días. Espere, pues, una semana, antes de volver a colocar los muebles, y de 2 a 3 semanas antes de colocar las alfombras.

Atención: mezclado con cola vinílica, el polvo del pulido forma una masilla que permite tapar los pequeños defectos de la madera y es invisible, ya que su color es idéntico al del parquet. Para ello, es mejor usar el serrín más fino, el que se obtiene en el último pulido.

Barniz y vitrificantes

Para vitrificar un parquet hay dos importantes tipos de barniz, que se presentan en acabado mate, satinado o brillante.

Los barnices de poliuretano son flexibles y con gran resistencia mecánica y química. Se secan en 12 horas y se endurecen totalmente en 10 días, pero con el tiempo tienden a amarillear.

Los barnices acrílicos (en fase acuosa) son los más novedosos. No desprenden olor, no son nocivos ni contaminantes, y proporcionan gran resistencia al parquet. Además, respetan perfectamente el color natural de la madera.

Evite, en cambio, los barnices tipo urea-formol (al alcohol), ya que son tóxicos y contaminantes.

La vitrificación

1. Vierta el barniz que va a emplear para la vitrificación en un recipiente de tamaño adecuado, como esta cubeta de plástico.

2. Aplique el barniz con un cepillo plano (brocha de vetear). Tenga cuidado de no pasar dos veces por el mismo sitio.

Los machihembrados

Escoger el machiembrado

El machihembrado es un panel de madera que consiste en un ensamblaje de listones con marcos, molduras, relieves, etc., y que constituye un elemento de decoración mural.

Los paneles de madera eran antiguamente un elemento decorativo de prestigio, que se usaba para recubrir las paredes de bibliotecas, vestíbulos y recibidores.

Los listones

Más sencillo en nuestros días, el machihembrado está formado por listones acanalados, con ranuras y lengüetas que se ensamblan entre sí como las lamas de un parquet. En bruto, teñido o de color, es una decoración mural muy cálida y muy apreciada.

Los machihembrados «de baja calidad» pueden dar lugar a revestimientos antiestéticos, con demasiados nudos o con defectos de abombamiento que dificultarán su colocación. Para reducir este riesgo, se aconseja combinar diferentes calidades (por ejemplo: dos tercios de «sin nudos» más un tercio de «con nudos pequeños»), lo que dará un aspecto final más agradable a la vista.

Los listones se venden por metros cuadrados. La mayoría son de pino o de abeto, pero también se encuentran de castaño, de roble o de algunas maderas exóticas.

Elección y calidad. Existe un amplio surtido de machihembrados, de calidades y colores muy diversos. Los listones de un machihembrado tradicional (pino o abeto) se clasifican según cuatro grados de calidad, indicados por la norma AFNOR: A, sin nudos; B, con nudos pequeños; C, con nudos; D, de muy baja calidad.

¿Comprar listones en bruto o acabados? De entrada, ya que los listones de pino en bruto no están barnizados, se recomienda aplicar un tinte, pintura o barniz al acabar la colocación. En este caso, dado que el reverso del machihembrado no está protegido, la madera podría deformarse. Por este motivo, suele ser preferible escoger un machihembrado de color, decorado o barnizado en fábrica, con todos los listones tratados, incluida la cara posterior.

Preste atención al momento de elegir el material, ya que el precio puede inducir a error: después de haber decorado el machihembrado, podría sentirse decepcionado por un acabado mediocre que no justifica el desembolso.

© LAPEYRE

Machihembrado encerado en tonos miel, una estética muy natural (aspecto de madera sin tratar y mate) que proporciona el pino.

Calcular el material. Depende principalmente del tipo de ensamblaje elegido –a corte perdido (sin tener en cuenta la posición de las juntas) o a corte de piedra (las juntas quedan alineadas)– y de la altura de la pared (uno o más listones por altura). El cálculo es muy simple y depende de la superficie que quiera revestir, porque el machihembrado se vende por metros cuadrados.

Este machihembrado de pino, de aspecto bruto sin pulir, aporta originalidad y autenticidad a esta pieza multiusos.

Los machihembrados sintéticos

Existen otros tipos de revestimientos murales que se basan en el mismo principio de ensamblaje, aunque no ofrecen ni el atractivo ni la calidez de la madera.

Lamas de partículas aglomeradas o de fibras DM. En el mercado encontrará revestimientos constituidos por lamas fabricadas a partir de partículas aglomeradas o de fibras DM (media densidad). Están revestidas con un papel decorativo estratificado que imita las vetas de la madera o los colores de las pinturas decorativas.

Lamas de material plástico. También existen lamas huecas de material plástico, que se reservan para lugares húmedos como los cuartos de baño. En este campo, el machihembrado de PVC expandido se considera el mejor de toda la gama de fabricados sintéticos. Las lamas presentan una superficie blanca lacada, que hace de este machihembrado un elemento decorativo muy apreciado, cuya longevidad lo hace especialmente indicado para ciertas aplicaciones exteriores (Aplacan).

Revestimiento mural de machihembrado de madera de pino barnizada. Existe en diferentes colores.

Colocar un machihembrado

Constituido casi siempre por lamas de pino, el machihembrado aporta calidez e intimidad a las estancias que se han revestido con este material. Pero, si su longevidad no tiene rival, su colocación requiere, en cambio, más tiempo que otros revestimientos, ya que no se aplica directamente sobre la pared, sino sobre un armazón.

El armazón del machihembrado

Para realizar un armazón rígido y plano, apto para recibir las lamas, hay que utilizar unos ristreles de sección rectangular (de 15 x 30 a 20 x 40 mm, aproximadamente). Según el estado de la pared, su colocación puede plantear algunas diferencias (croquis 1).

En una pared de superficie regular. Puede utilizar ristreles de escaso grosor (de 10 a 15 mm), directamente encolados o clavados sobre el soporte, para que el conjunto no presente un sobregrueso excesivo en el interior de la habitación, lo que reduciría otro tanto su anchura.

En una pared rústica o con irregularidades en la superficie. Deberá usar ristreles de sección más grande, que sean lo suficientemente rígidos para soportar las lamas sin necesidad de apoyarlas sobre el soporte abombado (croquis 2). En este caso, el espacio situado detrás del revestimiento se suele aprovechar para colocar un aislante. Elija siempre maderas tratadas contra insectos xilófagos y hongos.

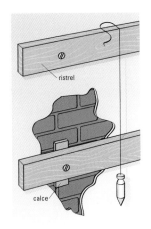

ristrel

calce

2. Fijación sobre una pared abombada. Utilizando una plomada y un nivel de burbuja, controle la verticalidad del armazón: todos los ristreles deben estar en el mismo plano. Si es necesario, coloque unos calces de madera debajo de ellos para tener un plano correcto. Las clavijas y tornillos premontados que atraviesan los armazones se pueden usar con materiales macizos y huecos.

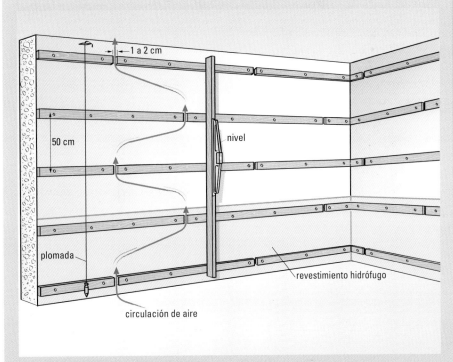

1 a 2 cm

50 cm

nivel

plomada

circulación de aire

revestimiento hidrófugo

1. Los ristreles del armazón mantienen una pequeña separación en los extremos para que el aire puede circular de abajo arriba, ya que es importante airear la parte trasera del machihembrado. Si la base de la pared tiende a padecer de humedad, aplique un revestimiento hidrófugo antes de fijar las primeras hiladas de ristreles.

Colocación de las lamas y métodos de fijación

Colocación de las lamas. Casi siempre, el armazón está formado por ristreles fijados horizontalmente (separados de 40 a 50 cm), sobre los que se colocan verticalmente las lamas del machihembrado. Sin embargo, usted puede escoger otra colocación (horizontal, en diagonal); basta con que el armazón sea perpendicular al sentido de colocación de las lamas (croquis).

El armazón se fija con tornillos. Emplee preferentemente clavijas y tornillos premontados para ensamblar de través; de esta manera eliminará los dos agujeros que habría necesitado con las clavijas clásicas.

No se olvide de fijar unos ristreles alrededor de las puertas y ventanas. Las lamas de machihembrado recortadas para casar con el perímetro de las aberturas deben apoyarse sobre unos ristreles suplementarios y no sobre los bastidores.

Métodos de fijación. El método de fijación determina si la posición de la primera lama ha de ser del lado de la ranura o del lado de la lengüeta.

Si se va a fijar con un claveteado (método tradicional), los clavos deben entrarse inclinados del lado de la lengüeta. En cambio, para una fijación con clips, hay que introducirlos en el lado de la ranura. Si elige lamas con perfil desigual, dispondrá de una lengüeta inferior ensanchada que acepta cualquier sistema de sujeción (clavos, grapas, clips), sin que sea necesario girar el perfil. El principio de ensamblaje es el mismo: el montaje de una lama disimula la fijación de la lama anterior.

Atención: Un machihembrado colocado con clips metálicos puede desmontarse fácilmente y volver a montarse en otra pared (ideal para mudanzas).

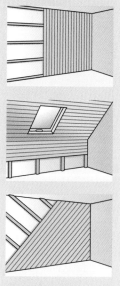

El machihembrado puede colocarse verticalmente, horizontalmente o en diagonal. Los ristreles del armazón deben ser perpendiculares al sentido de colocación.

Colocar machihembrado con clips

Decida un sentido de colocación. De izquierda a derecha o viceversa, según sea diestro o zurdo (secuencia).

Colocación de lamas mediante enclipado

1. Proceda de izquierda a derecha. Cuando monte una lama, encájela en la ranura de la lama anterior. Utilice un calce de madera para amortiguar los golpes de martillo.

2. Introduzca el clip en la ranura. Fije el clip a la altura del ristrel, si es preciso ayudándose con un martillo.

3. Grape el clip. Para una buena fijación, asegúrese de centrar bien la grapadora y presione el gatillo con fuerza.

1. A medida que vaya colocando lamas, vaya perforando el machihembrado con una sierra de corona para colocar los interruptores o las tomas en sus emplazamientos correspondientes.

▶ Enrase el extremo de la primera lama.

▶ Colóquela en el rincón de una de las esquinas, dejándola a unos 5 mm del techo.

▶ Compruebe la vertical con una plomada.

▶ Si es necesario, cepille el canto de la lengüeta para que se adapte a la pared y el lado ranurado quede perfectamente vertical.

▶ Clave la lama, por delante, sobre la intersección con cada ristrel.

▶ Coloque los clavos de cabeza perdida lo más cerca posible del ángulo de la esquina.

▶ Fije el lado de la ranura mediante clips metálicos, clavados o grapados sobre los ristreles del armazón (croquis 2).

▶ Corte un trozo de la lama n.º 2 (croquis 1) para completar la primera hilada.

▶ Inserte un extremo dentro del otro y clave este recorte debajo de la primera lama.

▶ Coloque el resto de la lama n.º 2 al lado de la primera.

▶ Una la ranura y la lengüeta, apriete las dos lamas y fíjelas con clips metálicos.

▶ Corte la lama n.º 3 para completar la segunda hilada y coloque el resto de la n.º 3 al lado de la lama n.º 2, cerca del techo. Y así sucesivamente... proceda por toda la superficie.

Cuidado con los aparatos eléctricos

A medida que vaya colocando el machihembrado, vaya desmontando los aparatos eléctricos (interruptores, tomas, etc.) después de haber cortado la corriente. Destorníllelos y afloje los bornes para soltar los cables. Protéjalos con dominó aislante y manténgalos así.

Siga colocando el machihembrado. Fije una o dos lamas suplementarias y córtelas con una sierra corona (croquis 1). Haga un agujero de 55 mm de diámetro para alojar en él el accesorio eléctrico que había desmontado.

Saque los cables de su caja, páselos a través del machihembrado y vuelva a montar el accesorio eléctrico fijándolo en el agujero circular. Si ha previsto efectuar algunos cambios en la instalación eléctrica (circuitos nuevos, montaje de un interruptor, etc.), pase las nuevas conducciones a lo largo de la pared entre los ristreles, y así quedarán disimuladas por el machihembrado.

clavo de cabeza ovalada   clip

2. Detalle de la colocación de la primera lama y del clip (arriba).

Los acabados

Los contornos de las puertas y ventanas, las partes salientes, los zócalos, etc., pueden destacarse con molduras, que aportarán un acabado más estético al conjunto. Para ello, disponga de diversos perfiles que le permitan resolver cada caso en particular.

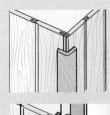

Una escuadra de madera encolada en una esquina oculta la unión y el recorte de la última lama.

Una jamba cortada al inglete disimula el contorno de una ventana y el grupo de lamas cortadas en todo el perímetro.

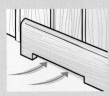

Un zócalo calado reviste la base de la pared sin obstruir el paso del aire que circula por detrás del machihembrado.

Moqueta
y fibra natural

Las moquetas

Elección de la moqueta

La moqueta es un revestimiento de suelo textil que se coloca de pared a pared sobre toda la superficie del suelo de una habitación. Se compone, principalmente, de una «base» (elemento estático) que soporta un «tejido» (elemento de confort).

La naturaleza de las fibras, la calidad del tejido y el modo de fabricación varían de una moqueta a otra. Gracias a los progresos alcanzados, las moquetas son cada vez más atractivas, agradables al tacto y de fácil mantenimiento. Las diferentes densidades y texturas permiten diversos usos, adaptados a cada habitación del apartamento o de la casa.

Tenga en cuenta los tratamientos, clasificaciones y etiquetas especificados por el fabricante. Tanto si se presentan en rollos como en piezas cuadradas, en efecto, hay moquetas particularmente resistentes al desgaste, así como otras son prácticamente a prueba de manchas.

Las fibras

Las fibras pueden ser naturales, sintéticas o mezcladas y cabe destacar que cada una de ellas presenta una serie de ventajas e inconvenientes.

La lana. La lana es el material noble por excelencia en materia de moquetas. La moqueta de lana es mullida, antiestática de natural, resistente al fuego, y sus fibras no se aplastan. Además, y por si fuera poco, sus colores son más relucientes que los de las moquetas sintéticas.

Las fibras sintéticas. La poliamida (nailon), igual que el poliéster, se obtiene del petróleo y de la hulla, y es muy utilizada, porque es resistente al desgaste y sus fibras son blandas y mullidas. Sin embargo, debe tratarse para evitar la electricidad estática.

El polipropileno también es muy resistente, pero las fibras se aplastan con facilidad. Es hidrófugo, por lo que es adecuado para los cuartos de baño.

En cuanto a las fibras acrílicas, su aspecto es parecido a la lana, pero son más sensibles al desgaste que otras fibras sintéticas.

Las diferentes presentaciones

Los distintos procesos de fabricación proporcionan moquetas de diversos aspectos. Más o menos gruesos, y, por lo tanto, más o menos confortables, los tejidos pueden ser principalmente con bucles, cortados o rizados.

Bucle estructurado: la combinación de bucles de distintas alturas permite crear motivos en la moqueta.

Cortado: los bucles anclados en el reverso de la moqueta se han cortado y tundido, en este caso, para obtener una superficie al mismo tiempo lisa y suave.

Bucle tundido: con bucles de diferentes alturas, sólo los más altos se han tundido, lo que hace la moqueta más suave.

© RHODIA

Sajonia: este tejido cortado está formado por hilos retorcidos, cuyas puntas se cortan para producir un efecto «granulado».

Para un estudio es mejor elegir una moqueta resistente y antimanchas.

La asociación GUT garantiza que el producto es ecológico del principio al fin de la producción. Además de otorgar la etiqueta, promueve la adopción de procesos respetuosos con el medio ambiente y el reciclaje de moquetas usadas.

Etiqueta, clasificación, certificación...

La etiqueta ecológica GUT. La asociación GUT se encarga de detectar en las moquetas la presencia de sustancias nocivas, y si todo está correcto, les atribuye un número individual. Esta etiqueta ecológica permite a los organismos de control identificar y verificar en cualquier momento que se trata, en efecto, de un producto que corresponde a la muestra analizada, y, por consiguiente, es un material fabricado sin sustancias nocivas. Las moquetas con la etiqueta GUT son prácticamente inodoras y su uso ofrece gran seguridad.

La certificación UPEC.A. Las moquetas, tanto en rollos como en piezas cuadradas, reciben la certificación UPEC (p. 81), principalmente por su respuesta ante el uso (U) y la perforación (P). Para las salas de estar, se recomienda una clasificación U2 P2 o U3 P2; para los dormitorios, una moqueta U2 P2 debería ser suficiente; en las zonas de mucho paso (entrada, pasillo, escalera), una moqueta U3 P3 sería la más apropiada. En un cuarto de baño, tendrá que ser resistente al agua, con una capa inferior impermeable; la clasificación debería ser entonces como mínimo U2 P2 C2 E1 (E y C designan, respectivamente, el comportamiento ante el agua y la resistencia a los agentes químicos). Esta norma tiene también en cuenta las cualidades acústicas de los revestimientos textiles y, más en particular, la reducción que se observa en la transmisión de los ruidos de impacto. Las moquetas así certificadas llevan la etiqueta UPEC.A y su eficacia acústica se expresa en decibelios.

La clasificación T. La durabilidad de una moqueta y su comportamiento dependen de la calidad del tejido, de la densidad y de la técnica de colocación, pero también del uso al que se destina. Así pues, la moqueta de la escalera tendrá que ser más resistente al desgaste que la del dormitorio. La clasificación con el símbolo T le ayudará a escoger el producto más indicado:
- T2, ligera, para el dormitorio;
- T3, moderada, para la sala de estar y el despacho privado;
- T4, importante, para el vestíbulo o la sala de juegos;
- T5, muy importante, para escaleras y lugares de mucho paso.
Las calidades T4 y T5 adecuadas para sillas de ruedas deben llevar el símbolo de este tipo de mobiliario.

La moqueta de lana, suave y mullida, está especialmente indicada para los dormitorios.

Con calefacción radiante

Antes de comprar una moqueta destinada a una vivienda con calefacción radiante, hay que asegurarse de que el modelo elegido es apropiado para ello. Puede elegirse cualquier método de colocación, libre encolada o tensada. Pero, en caso de encolarla, habrá que desconectar la calefacción 48 horas antes de aplicar la cola, o esperar el cambio de estación...

La etiqueta de protección Scotchgard. El tratamiento invisible e inodoro Scotchgard no modifica el tacto de la moqueta, y, en cambio, facilita su mantenimiento y limpieza. Las fibras tratadas se impregnan de una sustancia que reduce la adherencia del polvo y retarda la penetración de los líquidos. En caso de accidente, quitar las manchas es mucho más fácil.

Etiqueta que indica la calificación de las moquetas según su resistencia al uso.

Las moquetas en rollos

Las moquetas se presentan en unos rollos llamados «tiras» y también en losetas.

Dimensiones. La anchura más corriente de los rollos es de 4 m, medida que permite revestir de una sola vez una habitación mediana. Pero también es frecuente encontrar rollos de 5 m de ancho, y otros

Si tiene pensado colocar la moqueta usted mismo, descarte las moquetas de lana tejida, ya que la técnica tradicional de colocación de estas moquetas (tensadas sobre cintas de agarre) es demasiado complicada para un principiante. No olvide que la vida útil de una moqueta mal colocada se reduce a la mitad.

de 2 m para las moquetas destinadas a cuartos de baño. Las moquetas de lana no siguen esta regla, y casi siempre se encuentran con anchuras de 70 cm o 1 m. Su colocación requiere más tiempo, pero hay menos recortes.

Cálculo de las necesidades. Si las superficies que hay que revestir presentan contornos irregulares, o si sus dimensiones son tan grandes que requieren uniones, lo mejor es hacer el cálculo a partir de un plano dibujado en papel milimetrado, incrementando un margen de 10 cm en todo el perímetro de la habitación. No olvide que la moqueta tiene un sentido de colocación, y que para hacer una junta hay que pegar dos piezas colocadas en el mismo sentido. En general, las moquetas en rollos se venden por metro cuadrado, aunque algunos rollos de poca anchura (70 cm) se venden por metro lineal.

Las losetas de moqueta

Emplomadas o autoadhesivas. Las losetas de moqueta son fáciles de colocar. En general, se trata de cuadrados de 50 cm de lado.

Si está reformando el piso mientras reside en él, apreciará especialmente el lado práctico de las losetas, que se pueden transportar fácilmente y permiten una colocación progresiva. Pero, además, estas losetas permiten crear decoraciones en el suelo combinando colores o motivos. Y nada es más sencillo aún que sustituir una loseta estropeada por otra.

La mano de los diseñadores. Las losetas de moqueta eran antiguamente elementos lisos de un color más bien sobrio. En nuestros días, diseñadores de renombre han creado toda una gama de diseños y matices que han transformado completamente su imagen. Así, podrá encontrar, entre otros, dameros, espigas y almocárabes de vistosos colores. Algunos motivos, formados por el ensamblaje de varias losetas, incluso pueden modificarse a voluntad. Basta con dar un cuarto de vuelta o media vuelta a las piezas, como las imágenes de un caleidoscopio.

Calcular las necesidades. Para calcular el número de losetas necesarias, haga una planificación de la superficie, para lo que deberá dibujar previamente un plano en papel milimetrado. A continuación, cuente el número de elementos necesarios e incremente el resultado un 10 % para tener unas piezas nuevas de recambio por si ha de reparar un accidente, durante o después de la colocación. Las losetas de moqueta se venden por metros cuadrados.

© Berrytuft/FMP

Moqueta de poliamida, uno de los productos sintéticos más utilizados.

Colocar moqueta en rollos

La elección de la técnica de colocación depende por igual del tipo de moqueta, de su revés, de la superficie a recubrir y del estado del suelo. La colocación es primordial para el aspecto general de la moqueta, su confort y su duración. La moqueta en rollos puede colocarse de tres maneras: libre, tensada o encolada. La colocación tensada, muy complicada, debe confiarse a un profesional. La colocación libre y la colocación encolada están al alcance del aficionado; en ambos casos, antes de fijar las tiras, hay que dejar reposar la moqueta al menos 24 horas en la habitación después de haberla colocado en su lugar.

Grandes vidrieras, maderas claras, muebles modernos, chimenea de diseño y moqueta gris... una mezcla atrevida y elegante.

Preparar el suelo

Lo mismo que otros revestimientos de suelo, la moqueta debe colocarse sobre una superficie limpia, tan plana como sea posible y seca. El estado del soporte reviste aún más importancia cuando se trata de una moqueta encolada; la presencia de cuerpos grasos, por ejemplo, podría perjudicar la adherencia.

Si las tiras de moqueta se van a colocar sobre un parquet viejo, compruebe el estado de las lamas; vuelva a clavar las que sean inestables y elimine con esmero cualquier resto de cera.

Sobre un suelo de cemento, es necesario eliminar bien todo el polvo y, si es preciso, efectuar un revocado, es decir, extender una capa de mortero para mejorar la nivelación. Pase después un fijador o un fondo de agarre, a fin de evitar que el polvo pueda volver a aparecer.

En todos los casos, como la moqueta ha de estar en la habitación al menos 24 horas antes de la colocación, es mejor preparar la superficie antes de comprar las tiras.

Al colocar la moqueta, preste atención al sentido del pelo, que suele estar indicado con una flecha en el dorso. Esta dirección debe orientarse de cara a la ventana y corresponder al sentido de entrada de la luz natural. No obstante, con moquetas aterciopeladas o con revestimientos muy anchos, que no necesitan juntas, esta precaución tiene menos importancia.

1. Para colocar bien la moqueta, doble los ángulos como se muestra arriba y efectúe cortes de 1 a 2 metros a ras de los zócalos en todos los lados de la estancia.

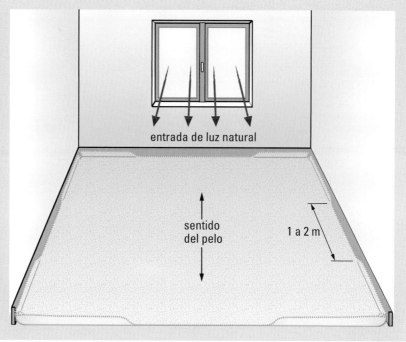

entrada de luz natural

sentido del pelo

1 a 2 m

Dejar que la moqueta se estabilice

En el momento de comprarla, es posible que deba plegarla si no puede transportarla en forma de rollos. En este caso, procure no marcar los pliegues y desenróllela en cuanto llegue a casa.

Posicionar la moqueta. Cuando extienda la moqueta, teniendo en cuenta el sentido de colocación (recuadro p. 134), déjela remontar unos diez centímetros por encima de los zócalos. Para colocarla bien en su lugar, deberá proceder del siguiente modo:

2. Alisado con una espátula de encolar.

▶ Alise toda la superficie del revestimiento empleando una espátula de madera o de plástico para suprimir los pliegues y las bolsas de aire (foto 2). Esta operación es indispensable antes de colocar la moqueta en seco, y opcional antes de la colocación con cola.

▶ Marque el pliegue a lo largo de los zócalos utilizando unas tijeras cerradas, y doble la moqueta en las esquinas para que se adapte a toda la superficie.

▶ Efectúe un primer corte a ras de los zócalos; no es necesario enrasar toda la longitud, sino tan solo 1 o 2 m en el centro de cada lado de la habitación; el objetivo de esta operación es mejorar la colocación de las tiras. Utilice para ello un cúter (foto 3); guíelo apoyándose sobre la hoja metálica de una herramienta plana. De este modo, conseguirá un corte limpio y evitará el riesgo de desviarse.

Esperar 24 horas. Cuando la moqueta está bien situada en su lugar, solo hay que dejarla reposar un día entero, el tiempo necesario para que se estabilice. Hasta que no haya transcurrido este tiempo de espera, no podrá empezar a colocarla.

3. Enrasado a lo largo de los zócalos.

En la colocación libre, cuando la superficie es superior a 12 m², es conveniente cuadricular toda la superficie con cinta adhesiva. La capa protectora se va retirando a medida que se va desplegando la tira.

Colocación sobre cintas adhesivas

En una colocación libre, la moqueta se fija al suelo simplemente mediante una cinta adhesiva de doble cara. Este tipo de colocación se reserva para las moquetas punzonadas y las moquetas de fondo esponjoso. No se recomienda para superficies superiores a 20 m². Para espacios inferiores a 12 m² y poco transitados, como una habitación, por ejemplo, basta con colocar la cinta adhesiva en todo el perímetro. En cambio, para un espacio comprendido entre 12 y 20 m², medianamente transitado, conviene cuadricular toda la superficie con cintas separadas, aproximadamente, 1 m entre sí.

Colocar las cintas adhesivas. Antes de colocar el adhesivo, compruebe que la moqueta esté bien estirada y, si es necesario, vuelva a alisar la superficie. Luego, prosiga en dos fases. Primero, retire una mitad de la tira de moqueta y dóblela sobre la otra mitad (croquis 1). Pegue la cinta adhesiva de doble cara a ras de los zócalos. Retire progresivamente la película protectora de la cinta adhesiva y vaya desdoblando la moqueta y pegándola a la cinta. Enrase los ángulos. Levante después la otra mitad y proceda de la misma forma.

Ante un obstáculo, por ejemplo, un radiador, haga los cortes necesarios con el cúter para rodear los pies (foto 1). Coloque la cinta adhesiva a ras del zócalo y desdoble la moqueta por debajo del radiador.

Los acabados. Cuando la moqueta esté pegada sobre las cintas adhesivas, solo faltará cortar los sobrantes a lo largo de los zócalos y junto a la puerta. Para los cortes rectos, utilice un cúter de moqueta con inclinación ajustable, en el que la posición de la hoja puede variar en función del grosor del revestimiento: esta herramienta con mango permite encajar la moqueta a lo largo del zócalo y efectuar un corte rectilíneo (foto 2).

1. Corte a ras del pie del radiador.

2

La colocación encolada hay que efectuarla en dos tiempos: encolar primero una mitad de la superficie de la habitación, y luego desdoblar la tira antes de encolar el resto.

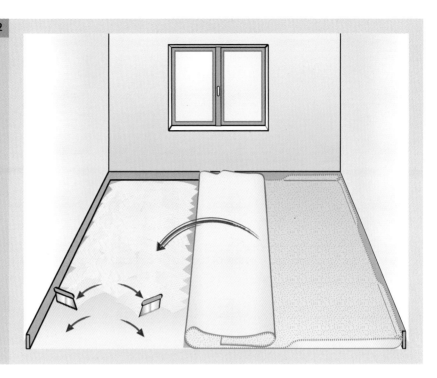

Para los cortes pequeños, es preferible utilizar un cúter apoyado sobre la hoja metálica de una herramienta plana, que protegerá la moqueta y guiará el corte. Al llegar al umbral o entrada, corte la moqueta enrasándola con el revestimiento de la habitación contigua. Guíese con una regla metálica para no desviarse. Atornille un tapajuntas en el umbral para sujetar el borde de la moqueta. Si entre los dos revestimientos hay una diferencia de grosor importante, elija un perfil de adaptación, más apropiado que un tapajuntas plano.

Colocación encolada

La colocación encolada viene indicada por el fabricante. La cola o el fijador que deberá utilizar (recuadro p. 138) dependen de las características del revestimiento. El producto para encolar se aplica sobre toda la superficie del suelo.

Encolar el suelo. Primero hay que retirar la moqueta de una mitad de la habitación y doblarla sin marcar los pliegues (croquis 1). Entonces puede encolar la parte descubierta del suelo: si utiliza cola, emplee una espátula dentada que pueda distribuir unos 30 g de producto por metro cuadrado; con un fijador, utilice un rodillo y aplique unos 120 g de producto por metro cuadrado.

Respete el tiempo de engomado indicado por el fabricante, que es el tiempo necesario para que la cola sea eficaz, y luego desdoble el revestimiento sobre la capa de cola. Alise después la superficie con las manos para eliminar las bolsas de aire. Proceda de igual forma con la otra mitad de la moqueta.

2. Recorte después del encolado.

Encolar y enrasar. Cuando la moqueta esté colocada en su lugar, repase el encolado cuidadosamente, es decir, alise la superficie para asegurar la adherencia del revestimiento sobre la película de cola. Use para ello una espátula de encolar, que consiste en una especie de calce de madera o de corcho con los bordes redondeados (foto 2 p. 135), o en su defecto, un rodillo de amasar. Alise siempre la moqueta desde el centro hacia los bordes. Enrase luego con un cúter o un cortador a lo largo de los zócalos y de los diferentes obstáculos: un ángulo saliente, el umbral de la puerta, etc.

Colocación sobre cintas de agarre

La colocación sobre cintas de agarre se reserva para las moquetas de base textil y fieltro punzonado. No requiere productos nocivos y permite, dado el caso, retirar las tiras de moqueta sin dañar el soporte.

Colocar las cintas. La moqueta se fija sobre todo el perímetro de la habitación gracias a unas cintas de agarre tipo velcro de 5 cm de ancho, colocadas a unos 3 cm de los zócalos (croquis).

Para hacer la junta entre dos tiras de moqueta, hay cintas de agarre de 10 a 20 cm de ancho. Pero también se pueden pegar tres cintas de 5 cm una al lado de la otra en la zona de la junta.

Si la habitación mide más de 20 m², utilice más cintas, separadas aproximadamente 1 m, y forme una cuadrícula con ellas para evitar ondulaciones en la moqueta.

Fijar la moqueta. Para colocar una moqueta de una sola pieza en una habitación cuadrada o rectangular, debe fijarla sucesivamente en cada uno de los cuatro lados.

¿Cola o fijador?

El único inconveniente del encolado se plantea cuando hay que retirar la moqueta. Para cambiar el revestimiento, hay que arrancarla y volver a preparar la superficie. La operación de limpiar el suelo es entonces ardua. Para solucionar este problema, y puesto que un suelo bien preparado es liso y no absorbente, se aconseja usar un fijador. Este producto líquido, aplicado con un rodillo, tiene suficiente poder de adherencia para mantener pegadas las moquetas o revestimientos de fibras naturales como coco y sisal. Al retirar la moqueta, basta con tirar de ella y se despegará fácilmente sin estropear el suelo, ya que la mayor parte del fijador queda adherido a la parte posterior de la moqueta que se retira. Los pocos restos que quedan en el suelo se eliminan con agua caliente y detergente de resina de pino.

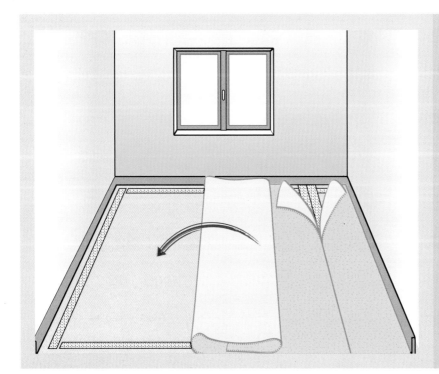

Las cintas de agarre (tipo velcro) deben colocarse, aproximadamente, a 3 cm de los zócalos, sobre todo el perímetro. Sólo hay que cuadricular toda la superficie si la habitación tiene más de 20 m².

En el lugar donde se unen dos tiras de moqueta, coloque dos o tres cintas adhesivas una al lado de otra.

© ALFATEX

En los ángulos, no solape las dos cintas de agarre que se cruzan perpendicularmente.

▶ Empiece por uno de los lados perpendiculares a la puerta: corte la moqueta a ras del zócalo y luego fíjela a la cinta de agarre golpeando a lo largo de toda su longitud con una maza sobre un taco de madera.

Alise toda la superficie de la moqueta avanzando hacia la pared opuesta y, al llegar a ésta, enrásela y fíjela siguiendo el mismo procedimiento.

▶ Proceda de modo semejante para los dos lados restantes: alise toda la superficie, avanzando desde la puerta hasta la pared opuesta a la misma, y después enrásela y fíjela utilizando siempre la maza. Alise, a continuación, en dirección a la puerta. Al llegar al umbral, intente cuidadosamente que el revés de la moqueta quede bien agarrado en la cinta adhesiva. Para terminar, si es necesario, atornille un tapajuntas.

Cambiar un trozo de moqueta dañada

Algunos productos, como el tanino, la lejía o la ceniza caliente de un cigarrillo, producen manchas indelebles que ningún quitamanchas puede hacer desaparecer. La solución, en estos casos, consiste en cortar el trozo de moqueta dañado para sustituirlo por otro en buen estado. Hay unas herramientas especiales que permiten cortar trozos redondos (recuadro) y facilitan mucho este trabajo. Por ejemplo, puede utilizar un cuchillo circular o un sacabocados, que le permitirán también practicar agujeros redondos para pasar todo tipo de conductos.

Para cambiar un trozo de moqueta, la operación es muy sencilla:

▶ Recorte un círculo alrededor de la mancha con un sacabocados, y después corte un redondel del mismo tamaño, de un resto de moqueta nueva o de un rincón poco visible, como el fondo de un armario o detrás de una puerta.

▶ Limpie a continuación el hueco de la moqueta y encólelo con un producto a base de látex.

▶ Coloque el redondel nuevo, sin olvidarse de orientar el tejido en el mismo sentido que el trozo que ha retirado. Deje secar durante unos minutos y cepille la superficie para que adquiera un aspecto homogéneo.

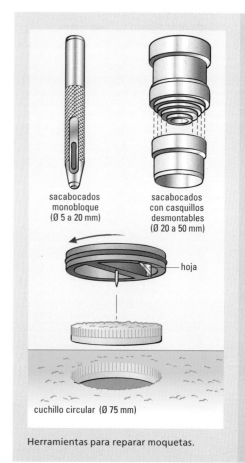

sacabocados monobloque (Ø 5 a 20 mm)

sacabocados con casquillos desmontables (Ø 20 a 50 mm)

— hoja

cuchillo circular (Ø 75 mm)

Herramientas para reparar moquetas.

Colocar losetas de moqueta

Hay dos tipos de losetas de moqueta, las autoblocantes y las adhesivas. Las autoblocantes se fijan sobre una capa semirrígida de asfalto o PVC; se instalan en el suelo con cintas adhesivas a doble cara. Las losetas adhesivas llevan en el reverso una cola especial, protegida por una película que simplemente hay que retirar antes de la colocación. Como cualquier tipo de moquetas, las losetas deben permanecer desembaladas y depositadas al menos durante 24 horas en la habitación donde se van a instalar, para que se establicen en función de la temperatura. La colocación solo puede efectuarse sobre un suelo liso, plano y seco.

Colocación recta

Planificación y trazado. Esta primera etapa es indispensable para decidir la disposición de las losetas. Consiste en trazar dos rectas perpendiculares, que le servirán de guía durante la colocación (croquis 1). Vea la forma de proceder:

▶ Trace primero una línea AB perpendicular a la puerta. Coloque, sin encolar, una primera hilada de losas a lo largo de esta recta. Desplácelas hasta encontrar la colocación adecuada: no ha de dejar cortes muy estrechos en los extremos; el mínimo es de 5 cm.

▶ Trace después una línea EF, perpendicular a AB, empezando por el centro de esta hilada (punto O). Coloque a lo largo, también sin pegar, una segunda hilada de losetas. Si en uno de los extremos queda un espacio demasiado pequeño entre la última loseta y la pared, desplace toda la hilada hacia la izquierda o hacia la derecha, y vuelva a trazar otra línea AB, puesto que el punto O habrá cambiado de sitio.

Fijación de las losetas. Una vez que las dos rectas AB y EF y su intersección O correspondan a la mejor posición deseada, coloque a lo largo de las dos perpendiculares una cinta adhesiva de doble cara, si se trata de losetas autoblocantes, y pegue encima las dos primeras hiladas. Compruebe con una regla que el borde de las losetas sigue exactamente el trazado. Trabaje después sector por sector: apóyese sobre las hiladas ya fijadas y coloque las losetas escalonadas siguiendo el orden número del croquis (croquis 1). Ahora ya no es necesario usar cinta adhesiva, porque las losetas se inmovilizan unas con otras.

Cortar los bordes. Cuando todas las losetas enteras estén colocadas (y solo entonces), puede proceder a cortar y colocar las de los bordes: ponga una loseta nueva A sobre una loseta de la antepenúltima hilada y hágalas coincidir exactamente. Luego, coloque otra losa entera B calzándola contra el zócalo. Mantenga el conjunto, marque y corte la loseta A siguiendo el borde de B. El corte A encajará exactamente entre la última loseta pegada y el zócalo.

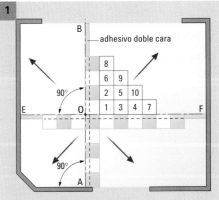

Principios de la colocación recta.

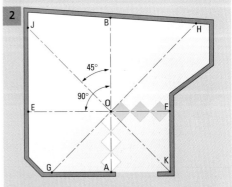

Trazado para la colocación en diagonal.

© SOMMER

Las losetas de moqueta se encuentran en una amplia gama de colores que permite efectuar combinaciones muy atractivas y acogedoras.

Colocación en diagonal

Planificación y trazado. La búsqueda de un efecto estético conduce a veces a colocar las losas oblicuamente; pero, igual que para la colocación recta, antes hay que definir el punto O, que es el punto de partida para iniciar la tarea (croquis 2).

▶ Trace una línea AB perpendicular a la puerta. Partiendo del punto A, disponga sobre esta línea cierto número de losetas (aquí, tres), la última de las cuales ha de aproximarse al centro de la habitación y determina un primer punto O.

▶ Desde el punto O, trace una línea EF perpendicular a AB y coloque el mismo número de losetas para completar la distancia OF. Si es necesario, desplace el punto O hacia la izquierda o hacia la derecha hasta que esté a igual distancia de A y de F, lo que tal vez le obligará a trazar luego una nueva línea AB.

▶ Haga girar las rectas AB y EF siguiendo un ángulo de 45°, para trazar las dos líneas GH y JK, que le indicarán la dirección de la colocación en diagonal.

Fijación de las losetas. La colocación en diagonal se efectúa a continuación como la colocación recta. Encole las dos primeras hiladas de losetas en las diagonales GH y JK. Trabaje después sector por sector, de forma escalonada. Coloque todas las losetas enteras y acabe por los bordes.

Cortar los bordes. Para cortar los bordes puede ayudarse con una plantilla de cartón rígido: corte un cuadrado cuyo lado sea de la misma longitud que la diagonal de una loseta. Coloque una loseta nueva sobre la loseta entera que quede más cerca de la pared. Coloque encima la plantilla, calzándola contra el zócalo. Corte la loseta nueva siguiendo el borde de la plantilla; cuando lo haya hecho, tendrá la forma necesaria para insertarla en el borde.

Cambiar una loseta dañada

Si una loseta de moqueta está deteriorada, es fácil sustituirla. Sin embargo, para evitar que el cambio sea evidente, retire, al mismo tiempo que la loseta dañada, otra loseta de debajo de un mueble, por ejemplo. Coloque esta loseta en el lugar de la estropeada, y esta última debajo del mueble.

Las fibras naturales

Elegir las fibras apropiadas

Los revestimientos de suelo de fibras naturales, inspirados en las esteras tejidas con juncos o con hojas de palma, perfeccionados y mejorados con técnicas vanguardistas, tienen hoy en día mucha aceptación. Proceden de materias primas renovables y todos son biodegradables y buenos aislantes acústicos. Junco marino, coco, yute... se distinguen, sin embargo, en varios aspectos: mayor o menor resistencia, tacto áspero o muy suave, fáciles de limpiar o vulnerables a las manchas... y también pueden variar en cuanto al precio, que puede llegar a multiplicarse por cinco. Aunque esté decidido a dejarse convencer por su aspecto, tómese un tiempo para reflexionar y comparar.

Las diferentes fibras naturales

Junco marino. El junco marino es liso y suave al tacto. Es adecuado para todas las habitaciones del hogar, incluidas la cocina y el cuarto de baño, porque es impermeable por naturaleza debido a su origen en un medio acuático. Para limpiarlo basta con pasar una esponja, y si la superficie ha perdido el brillo, recupera todo su esplendor humedeciéndolo con una bayeta. Es económico, y casi siempre está disponible en tres colores: beige, amarillo y verde. No obstante, no acepta bien el teñido, y por eso se mezcla a veces con sisal de color, tejido en la trama.

Coco. Fabricado con fibras de coco, es un material robusto. El tejido es basto y proporciona un revestimiento de aspecto rústico y áspero. Su color natural es pardo intenso, y puede blanquearse o teñirse. Resiste bien el uso sin decolorarse. En cambio, se estropea con los líquidos, porque es un material muy poroso.

Yute. Se obtiene del tallo de las plantas de yute y presenta una textura muy agradable, suave y lisa. Mucho más fino que el coco, natural o teñido atrae porque es muy decorativo. No obstante, presenta dos grandes inconvenientes:

© Le Tisserand/FMP

Un revestimiento de lana y sisal se puede teñir de cualquier color.

se desgasta muy pronto y es muy sensible a las manchas. Por lo tanto, debe reservarse exclusivamente para lugares poco transitados.

Sisal. Tejido a partir de la fibra de la pita o agave, un cactus originario de México, el sisal se distingue por su acabado brillante. Suave y resistente, se puede teñir en cualquier color, pero teme mucho el agua y absorbe excesivamente las manchas.

Cordón de papel. Empleado en épocas de escasez como sucedáneo del mimbre y la rota (una planta cañiza de la India), el cordón de papel ha ido encontrando su lugar. Se fabrica con pasta de papel, se le incorpora resina y después se teje. Reforzado e impermeabilizado de este modo, soporta tanto la humedad como el polvo. Es agradable al tacto, pero de muy fácil desgaste, y su precio a veces resulta desorbitado teniendo en cuenta de donde se obtiene.

Diferentes niveles de calidad

Con frecuencia, las diferencias de precio que se observan entre un mismo material parecen a primera vista considerables. Esto se explica en parte por las diferencias que existen en cuanto a la calidad, pero también por el valor añadido de la creatividad.

Las fuentes de suministro son diversas. Por ejemplo, el junco marino más apreciado procede de China, mientras que el que se importa de Vietnam está expuesto a ser atacado por hongos, sobre todo si se coloca en lugares húmedos y mal ventilados. Antes de decidirse por un producto determinado, examine la calidad del reverso, es decir, de su bajocapa. Casi siempre es de látex, y, si no es bastante resistente, se deshará rápidamente. Además de los materiales utilizados, deberá comprobar también la calidad del tejido y el grosor del revestimiento.

Para evitar sorpresas desagradables, es mejor confiar en marcas europeas conocidas que en productos artesanales importados, por ejemplo, de los países de Asia meridional.

Colocarlos es delicado

Al igual que la moqueta, los revestimientos de fibras naturales suelen venderse en rollos de 4 m de ancho, con o sin bajocapa. Se colocan siguiendo los mismos métodos, con o sin arpillera (tejido que sirve de aislante). Sin embargo, su instalación es un poco más delicada que la de una moqueta, debido al riesgo de deformación. El sistema de encolado es prácticamente el único que se puede emplear, ya que fija el revestimiento en toda su superficie. La parte más comprometida es la colocación de las juntas, puesto que el tejido artesanal hace que tiendan a deshilacharse.

Si es la primera vez que va a colocar estos revestimientos, limítese a instalarlos en aquellas habitaciones donde puedan colocarse de una sola vez, y sobre una superficie perfectamente lisa. Se recomienda dejar el revestimiento y la cola en la habitación 24 horas antes de colocarlos para que se aclimaten a la temperatura ambiente.

Para el cuarto de baño

Sólo el junco marino está indicado para un lugar tan expuesto a la humedad como el cuarto de baño. Este producto natural lo embellecerá dándole un aire tropical. El mantenimiento es fácil, y hasta va bien que las fibras se humedezcan para no resquebrajarse. Sin embargo, el contacto con los pies es un gran inconveniente para muchas personas, mientras que otras lo aprecian en particular; por lo tanto, absténganse las personas con los pies muy sensibles.

Las cañas de bambú constituyen un elemento decorativo original.

El junco marino aporta luminosidad a una habitación pequeña.

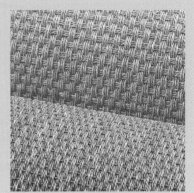
El junco marino es apto para todas las habitaciones, incluso la cocina y el baño.

El coco puede tejerse de diversas maneras, como en este caso en espigas.

El yute es un revestimiento elegante, pero muy frágil.

Papel trenzado, un revestimiento muy antiguo que ahora es bastante caro.

© CRUCIAL TRADING
El sisal mezclado con lana es un revestimiento suave y confortable.

El acabado brillante del sisal lo hace apropiado para interiores sofisticados.

Con sus fibras largas y flexibles, el sisal es fácil de tejer.

Algunos consejos para el mantenimiento

Si uno de estos revestimientos se mancha, actúe enseguida, sobre todo si se trata de un líquido que se ha vertido. Hay que evitar por todos los medios que el líquido penetre en las fibras. Elimine el producto utilizando un cuchillo, a partir de los bordes de las manchas y en el sentido de las fibras. Absorba el líquido con papel secante, sin frotar. Pruebe primero a limpiar la mancha con una esponja húmeda o un detergente en polvo para moquetas. La lejía y el amoníaco no deben usarse.

Hormigón
y vinilo

El hormigón

Un material por redescubrir

El hormigón, que en otros tiempos era menospreciado y se tenía por uno de los materiales de construcción más toscos, se considera en la actualidad distinguido y crea estilo. Ya no está condenado a ser siempre mate y gris: se puede pulir, teñir y hasta encerar para formar revestimientos de fachadas o de suelos de aspecto muy atractivo. En contra de lo que se suele creer, es un material natural, constituido por un ligante (cemento gris o blanco), arena, agua y aditivos. Hoy puede aportar elegancia y originalidad a los interiores.

Hormigón de color

¿Por qué habría que condenar al hormigón a ser siempre un revestimiento gris? El color del hormigón se debe a los elementos que lo constituyen, es decir, la arena, el cemento (gris o blanco) y distintos tipos de gravillas y aditivos. Para conferirle color hay dos procedimientos: teñir la masa o pintar la superficie.

Teñir la masa. Se añaden pigmentos naturales o artificiales a la mezcla de cemento y arena, antes de amasarla con agua. Con un cemento claro el color es más brillante. Se puede obtener también un teñido superficial espolvoreando los pigmentos sobre la superficie cuando el mortero aún no ha empezado a fraguar. De ese modo, se obtienen efectos jaspeados o de aguas. A continuación, se aplica una resina para proteger el suelo.

Pintar la superficie. Las pátinas de color proporcionan al hormigón un aspecto matizado, pero duran menos tiempo que la masa teñida.

Las pinturas de suelo dan uniformidad a la superficie y permiten creaciones originales. Sin embargo, las pinturas de suelo clásicas, las que proporcionan todos los fabricantes, a pesar de sus cualidades estéticas, por regla general se deterioran con bastante rapidez. Si usted quiere un revestimiento resistente a los golpes, al rozamiento y a las manchas, es mejor que elija resinas sintéticas, epoxi o poliuretanos. A veces, los colores decepcionan un poco, puesto que es difícil conseguir unos colores vivos y resplandecientes con las resinas. ¡Pero el revestimiento es impermeable y para siempre! Se aplican con un rodillo de lana, cruzando las pasadas.

Combinaciones sorprendentes

Para combinar el hormigón con distintos materiales, todo está permitido. Maderas, conchas, guijarros, baldosas, todo se puede incrustar en el pavimento fresco. Combinar un parquet con hormigón pulido dividirá una estancia para separar los ambientes. Unas líneas de cantos pulidos, si se han colocado de forma impecable, transformarán el suelo de su habitación. Incrustadas directamente en el pavimento, las conchas aportarán a su cuarto de baño un toque marino. Un mosaico de esquirlas de piedra realizado antes del fraguado, por su parte, puede convertirse en un friso original. Con el hormigón todo es posible, solo hay que dejar correr la imaginación.

En este cuarto de baño el suelo de cemento bruto se ha tratado para hacerlo impermeable.

Combinación a base de hormigón y acero inoxidable para esta cocina refinada e intemporal.

Toda una gama de acabados

Hormigón bruto, enlucido o granulado. Lo que más seduce a los partidarios del hormigón es precisamente la autenticidad del hormigón en bruto. Nos recuerda la primera función de este material como elemento de construcción, y aporta originalidad a la habitación donde se ha incorporado, en particular si se trata de un cuarto de baño.

El hormigón bruto se extiende directamente sobre el suelo y no requiere una preparación previa de la superficie. Queda ligeramente poroso, y el mantenimiento requiere más tiempo. Como en todos los suelos a base de cemento, hay que aplicar una capa de protección (impermeable, antimanchas).

El hormigón enlucido se caracteriza por su superficie irregular y, al mismo tiempo, rugosa. Este efecto se obtiene alisando con una talocha manual o eléctrica, dejando que queden visibles las pasadas de la herramienta.

En cuanto al hormigón granulado, se obtiene con un pulido basto que deje aparecer la forma y el color de los granulados.

Hormigón alisado, pulido o encerado. El hormigón se considera a menudo un material frío y basto. Sin embargo, barnizado, pulido, alisado o encerado puede transformar un interior. La suavidad que adquiere con estos acabados le confiere un aspecto sorprendente y elegante.

Si pasa una alisadora metálica llamada *helicóptero*, manual o mecánica, cuando el hormigón todavía esté fresco, obtendrá una superficie perfectamente lisa. El hormigón pulido se obtiene pasando una muela abrasiva por la superficie cuando el material se endurece por completo. La superficie ha de ser plana para que la muela pueda llegar a todos los puntos.

Para el cemento encerado se aplica un tapaporos y, a continuación, una cera industrial, casi siempre de origen acrílico, después de haber efectuado un pulido a fondo. En todos los casos, el hormigón ha de haber recibido previamente unos tratamientos con productos hidrófugos y oleófugos.

Hormigón barrido y «piel de naranja». Después de haber pasado la talocha y alisado la superficie, pero antes de que se haya endurecido por completo, el hormigón puede admitir distintos acabados. Con una escobilla especial se obtiene un acabado estriado. A su vez, el aspecto de «piel de naranja» se obtiene fácilmente pasando un rodillo de pintor de piel de cordero, que también dejará su huella en el material.

Granito. El granito es un cemento de color al que se suele incorporar granulados de mármol y, a veces, de vidrio. Se le llama así porque presenta cierto parecido con la piedra del mismo nombre. Con su aspecto inconfundible, tiene tantos adeptos como detractores acérrimos. Si se tiñe la masa permite efectuar composiciones plásticas que pueden resultar variadas y, al mismo tiempo, sorprendentes. También se encuentra en losas, que se colocan con la misma facilidad que si se tratara de cualquier otro pavimento de baldosas (pp. 92-99).

Losas de hormigón. Si se aplica a la superficie un tratamiento como el pulido o el enarenado, las losas de hormigón adquieren el aspecto de la piedra... y después toman una pátina como esta. Teñidas en la masa, pueden adquirir sutiles tonos ocres o tostados, o incluso se pueden resaltar con tornasolados. Los formatos más corrientes son las losas cuadradas de 40 a 50 cm de lado, o piezas tipo adoquín de 12 a 16 cm de lado. Las losas de hormigón se colocan también como las baldosas.

Realizar un pavimento de hormigón

Un buen suelo de hormigón no se consigue por casualidad. Solo una buena preparación le permitirá aprovechar al máximo las excepcionales posibilidades de este material. Los principios en los que se basa son sencillos, pero no hay que tener miedo de ensuciarse las manos. Para pavimentar superficies de más de 15 m², si no está acostumbrado a los trabajos de albañilería, no dude en acudir a un profesional.

Preparar el hormigón

Las proporciones. Las proporciones dependen del volumen que se quiera obtener. Para calcular la cantidad de hormigón, puede multiplicar la longitud de la habitación por la anchura y por la altura de hormigón. Por ejemplo, si la habitación mide 10 m de largo por 5 m de ancho y quiere una losa de 10 cm de grosor (0,10 m), el cálculo será el siguiente: 10 x 5 x 0,1 = 5 m³ de hormigón.

La mezcla. El hormigón se puede mezclar con una pala sobre un suelo limpio (croquis 1 y 2). Mezcle todos los ingredientes hasta que la preparación adquiera un color uniforme (croquis 3). Después de añadir agua, vaya poniendo una palada sobre otra (croquis 4). Si la mezcla es muy seca, añada más agua y remuévala de nuevo para poder humedecer toda la masa (croquis 5). Mezcle el hormigón hasta que adquiera consistencia (croquis 6). Utilícelo durante la hora siguiente a su preparación.

También puede preparar el hormigón con una hormigonera. Ponga en funcionamiento la cuba en posición inclinada y vierta primero arena, después las gravillas y al final el cemento. Cuando la mezcla sea homogénea, vierta agua poco a poco hasta obtener la consistencia deseada. Deje que la hormigonera gire unos minutos antes de utilizar el mortero o el hormigón.

Efectuar el trabajo

Composición de una losa. El grosor de una losa de hormigón depende de la carga que tenga que soportar, pero también de las características del suelo. En un suelo firme, de 8 a 10 cm de espesor será suficiente. Una losa de hormigón se compone de tres capas (secuencia p. 152): una capa de grava de 15 a 20 cm de grosor (la «púa»); una capa de hormigón con gravilla; y una capa de superficie lisa de mortero, con el acabado que usted prefiera.

Armar y aislar una losa. Si usted no puede preparar un lecho de gravilla («púa»), arme la losa con una rejilla de grandes mallas cuadradas. Extienda primero un material aislante, en caso de posible humedad en el subsuelo. Haga subir el material hasta la base de las paredes, para aislar también los lados.

El hormigón se lo pueden servir recién amasado si usted va a necesitar una gran cantidad. Lo transportan en un camión hormigonera, y la mezcla, que se va amasando durante el transporte, llegará a su casa a punto para ser utilizada, lo que le ahorrará tener que comprar por su cuenta todos los materiales.

Preparativos. Con un nivel de vasos comunicantes y un cordón de marcar, trace en las paredes la guía de referencia: una línea horizontal continua situada 1 m por encima de la superficie del suelo acabado. Parta de esta guía para excavar el suelo y medir la altura de los diferentes niveles (E, F, G). Así, para crear una pendiente de 2 cm, el punto más elevado del suelo se encontrará a 0,98 m de la línea de guía.

Para pavimentar una gran superficie. Pavimentar grandes superficies es algo más complicado. Para obtener un suelo homogéneo y un buen agarre del material, debe dividir el local en secciones de 15 m². Entre cada sección deberá dejar una junta de dilatación para compensar los movimientos del hormigón debidos a cambios de temperatura y de humedad. Estas juntas quedarán a la vista, por lo que, pensando en la estética del pavimento, deberá planificarlas detenidamente a fin de determinar su emplazamiento antes de empezar el trabajo.

Atención: El hormigón se seca en 14 horas. Transcurrido este tiempo, podrá pisar el pavimento. Pero este no adquirirá la resistencia máxima hasta que hayan transcurrido 28 días.

Realizar un pavimento de hormigón

1. Preparar el suelo. Rebaje el suelo a una profundidad de 1,30 m, aproximadamente. Extienda una capa de gravilla hasta conseguir con el pisón un lecho de 15 cm. Clave cuatro tacos de madera. Ajuste las alturas utilizando una regla y un nivel de burbuja, y fíjelos con cemento. Deje secar durante una noche.

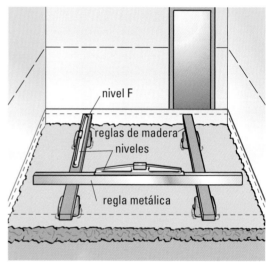

2. Comprobar la horizontalidad. Ponga dos reglas de madera sobre los tacos. Detecte los defectos de horizontalidad con un nivel de burbuja colocado sobre una regla metálica perpendicular a las reglas de madera. Corrija los defectos calzando las reglas para que las caras superiores queden al nivel que tendrá el pavimento de hormigón.

3. Vierta y extienda el hormigón dejando un grosor de 8 a 10 cm. Empiece por el extremo opuesto a la puerta. A medida que vaya avanzando, alise el hormigón desplazando una regla metálica apoyada sobre las dos reglas de referencia. Mueva esta regla hacia usted realizando un movimiento de vaivén.

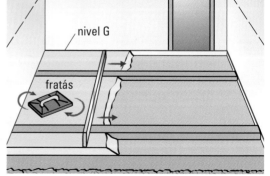

4. Extienda la capa de acabado. Espere a que el hormigón «tire» un poco, y luego retire las dos reglas. Rellene los huecos que han dejado. Prepare el mortero. Extienda la capa de mortero hasta alcanzar el nivel del suelo acabado. Alise la superficie con un fratás.

Los revestimientos vinílicos

Elegir un revestimiento de PVC

El cloruro de polivinilo (PVC) es un material termoplástico con el que los americanos crearon los *cushion-vinyle*, que podría traducirse literalmente por «suelos almohadillados de vinilo». Estos revestimientos flexibles fueron rechazados durante mucho tiempo, y solo se utilizaban en edificios públicos y en viviendas de protección oficial. Es cierto que, si se buscan los precios más económicos, todavía se encuentran algunos revestimientos de pésima calidad. Pero, en su gran mayoría, los revestimientos de PVC, sin renunciar a su efecto decorativo, presentan unas cualidades funcionales muy apropiadas para habitaciones donde los suelos han de soportar duras pruebas, y, sobre todo, para lugares húmedos.

¿Cómo hay que elegir?

Algunos revestimientos vinílicos han recibido tratamientos especiales que evitan la penetración de manchas y facilitan el mantenimiento.

Usos recomendados. Puede colocar suelos de vinilo en todas las estancias habitables. Sin embargo, por el hecho de ser impermeables e imputrescibles, casi siempre se aconseja utilizarlos en cuartos de baño, lavabos, lavaderos y hasta cocinas. Aunque también son apropiados para algunas salas de estar o habitaciones infantiles. En este último caso, no dude en utilizar suelos plásticos con tratamientos especiales de higiene y mantenimiento. Los tratamientos fungicidas y bactericidas combaten hongos y bacterias; los tratamientos antisuciedad, al suprimir los microporos, evitan las marcas de las pisadas y la penetración de las manchas.

Un pavimento de vinilo es impermeable e imputrescible. Está especialmente indicado para cuartos de baño.

© TARKETT

Diferentes niveles de calidad. En el mercado encontrará productos que en apariencia son muy semejantes, pero que no todos dan resultados satisfactorios en cuanto a la duración. Si quiere evitarse fracasos, no se deje tentar por los precios económicos y solicite la clasificación UPEC, que indica, entre otros, la resistencia al uso y a los impactos. Tenga en cuenta, asimismo, la clasificación europea NE EN 685 (p. 109), que recomienda, para un producto determinado,

© TARKETT

© TARKETT

Sofisticados o más sencillos, hay suelos vinílicos con dibujos estampados que los niños pueden utilizar para jugar.

un uso reducido, moderado o elevado. Un revestimiento, para ser duradero, ha de tener cierto grosor, pudiendo variar el conjunto formado por la capa de desgaste y la posible bajocapa entre 1 y 4,5 mm. Por último, si la vivienda tiene la calefacción radiante, no deje de averiguar si el revestimiento elegido es compatible con este sistema de calefacción.

¿En rollos o en losetas? Los vinilos se venden en rollos o en losetas. Los rollos están disponibles en diferentes anchuras. Usted tendrá que escoger en función de las dimensiones de la habitación, con vistas a desperdiciar el menor número de recortes que sea posible. Los rollos van muy bien para habitaciones de pequeñas dimensiones, en las que no es necesario hacer ninguna junta para cubrir toda la superficie. En cuanto a las losetas, suelen ser cuadrados de 30 a 33 cm de lado. La colocación del vinilo, tanto en rollos como en losetas, no plantea grandes dificultades: las tiras o las losetas se encolan en toda su superficie sobre el soporte. Incluso encontrará losetas autoadhesivas.

Calcular las necesidades. Si ha elegido un revestimiento en rollos, compre los metros lineales que precise para pavimentar. Probablemente, se los facturaran por metros cuadrados. Para colocar un pavimento con losetas, igual que se hace con las baldosas, es preferible calcular el número de piezas necesarias sobre un plano preciso en papel milimetrado, al cual habrá trasladado previamente las medidas de la habitación (p. 94).

El linóleo

El linóleo fue inventado en Inglaterra a finales del siglo XIX. Tuvo su momento de auge en la década de 1930, hasta que la moqueta lo superó, pero en la actualidad está encontrando nuevos adeptos. Fabricada a partir de materiales enteramente naturales (el aceite de linaza, de donde toma el nombre, y además harina de madera, corcho y resinas), la pasta de linóleo se tiñe con pigmentos y se prensa sobre una tela de arpillera. Después de las baldosas y el parquet, el linóleo es el pavimento más resistente. Perfectamente sano, presenta propiedades antiestáticas y bacteriostáticas indiscutibles. Incluso hay microorganismos que dejan de desarrollarse al entrar en contacto con el linóleo.

Unos guijarros semienterrados en la arena, sorprendentes... ¡y una gran imitación!

© GERFLOR

Colocación del vinilo

Al ser un revestimiento flexible, el vinilo tiende a amoldarse a los defectos del soporte, por lo que es necesario que este se encuentre en buen estado. Además, aunque es resistente y de fácil mantenimiento, soporta mal los cambios de temperatura. Así pues, se aconseja dejarlo al menos 24 horas antes en la habitación para que se adapte a la temperatura ambiente. Lo ideal sería poder ajustar la temperatura a 18 ºC. Si hablamos de calefacción radiante, habrá que desconectarla 24 horas antes de la colocación y no ponerla de nuevo en funcionamiento hasta que haya transcurrido un día entero como mínimo.

Para efectuar un corte neto hunda la cuchilla en profundidad. Un cúter de hoja rígida permite en varias pasadas marcar suficientemente el corte antes de partir la loseta. Para partir una loseta, puede usar el borde de una mesa para doblarla y romperla con las manos.

Colocación de las losetas de vinilo

Planificación y trazado. Igual que para colocar baldosas o losetas de moqueta, antes de proceder a la colocación de las losetas de vinilo deberá realizar un trazado en el suelo para definir los ejes con los cuales trabajará. Si quiere efectuar una colocación recta o en diagonal, puede utilizar los mismos métodos indicados para la colocación de losetas de moqueta (pp. 140-141).

Colocación de las losetas. Si se trata de losetas adhesivas, retire la película protectora antes de colocarlas, y sitúelas sin apretar (secuencia). Una vez que la loseta esté perfectamente situada, presiónela fuertemente contra el suelo con una espátula de plástico, desde el centro hacia los bordes. Coloque las losetas sucesivas, procurando acoplarlas a la primera, y compruebe con una regla que están perfectamente alineadas. Oriéntelas todas en la misma dirección con la ayuda de las flechas impresas en el dorso de cada una de ellas. Para colocar losetas encoladas, el método a seguir es el mismo, con la diferencia de que hay que encolar el suelo, preferiblemente procediendo por superficies pequeñas, antes de colocar las losetas.

Cortar los bordes. Proceda de la misma manera que para las losetas de moqueta. Para obtener un corte limpio y neto, sitúe la loseta que va a cortar sobre un plano de trabajo. Para terminar, córtela en profundidad y pártala (foto).

Colocación de losetas adhesivas

1. Empiece la colocación disponiendo las losetas a lo largo de los dos ejes perpendiculares que habrá trazado previamente en el suelo. Compruebe con una regla que los bordes de las losetas estén bien alineados.

2. Retire la película protectora sin tocar el adhesivo. Manipule las losetas por los lados, con las puntas de los dedos. Preste atención al sentido de colocación, indicado en el dorso con una flecha.

3. Alise las losetas a medida que las vaya colocando con una espátula, un martillo de boca ancha o, en su defecto, incluso un rodillo de amasar. Esta operación garantiza la perfecta adherencia de las losetas al suelo.

Colocación de vinilo en rollos

La variedad de formatos facilita la colocación y limita al mínimo tanto las uniones como el tamaño de los recortes. Cuando es necesario colocar varias tiras, es preferible disponerlas en sentido perpendicular a la principal fuente de luz natural. La luz de través disimula más las juntas.

Ajustar las tiras. Las tiras de vinilo deben quedar bien ajustadas a lo largo de los zócalos en todo el perímetro de la habitación. Si hacen falta varias tiras, debe colocarlas haciendo que se solapen de 4 a 6 cm. Esta fase de ajuste no puede hacerse de cualquier forma. Las paredes de una habitación no suelen ser perfectas geométricamente.

El ajuste al perfil de las paredes puede efectuarse después del encolado (secuencia), pero normalmente hay que marcar el perfil y cortarlo previamente.

Corte a ras de los zócalos. Primero se desenrolla la tira en el suelo, situando el orillo contra el zócalo. Para cortar sobre esta tira el perfil de la pared puede utilizar un gramil improvisado (por ejemplo, un calce de madera agujereado para que pueda pasar un bolígrafo) o un compás de puntas secas. En este último caso, abra el compás con una separación correspondiente a la mayor separación del perfil y desplace el instrumento a lo largo de toda la tira: una de las patas se apoya sobre el zócalo y la segunda sirve de punta de trazar y va marcando el revestimiento. A continuación, solo queda cortar el vinilo siguiendo el trazado con un cúter. Trabaje a mano alzada, inclinando ligeramente el cúter, y procure no desviarse.

Efectúe también los cortes necesarios alrededor de los tubos (croquis). Corte un círculo equivalente al diámetro del tubo con un sacabocado, y luego abra un corte de paso en el revestimiento y caliéntelo con un secador de cabello. El aire caliente hace más flexible el vinilo, que se adapta y se sitúa en su lugar sin ninguna dificultad.

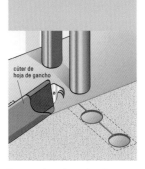

Para rodear las tuberías, cuando se han cortado los agujeros con el sacabocado, basta con abrir un corte de paso en el vinilo utilizando un cúter de hoja de gancho.

Algunas precauciones

La resistencia de un revestimiento de vinilo no depende de su grosor. Hay suelos plásticos finos y compactos que resisten bien los golpes y las perforaciones. Sin embargo, incluso estos revestimientos pueden estropearse con las patas o los cantos de los muebles, si son demasiado puntiagudos o cortantes. No dude en colocar unas protecciones de cuero, plástico o fieltro en estos muebles. Además, evite dejar en contacto con un suelo de vinilo un elemento a base de caucho como, por ejemplo, el reverso de algunas alfombras de baño.

Colocar una tira de vinilo

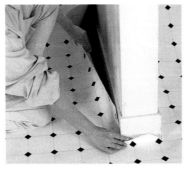

1. Cortar. Coloque el vinilo en el suelo. Ábralo en los ángulos y corte los sobrantes, dejando un margen de 5 a 10 cm por encima de los zócalos.

2. Encolar. Doble el revestimiento de un lado para encolar el suelo. Utilice una espátula dentada para extender la cola de manera uniforme. Despliegue el vinilo.

3. Enrasar. Después de haber pasado un rodillo de amasar desde el centro hacia los bordes para eliminar las burbujas de aire, enrase el vinilo sobrante utilizando una regla y un cúter.

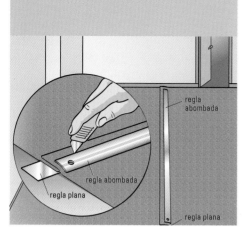

Para conseguir una unión disimulada, los dos grosores del revestimiento deben cortarse al mismo tiempo.

Encolado de las tiras. Cuando haya cortado bien el vinilo a ras de los zócalos, puede proceder al encolado. El procedimiento es el mismo que para las tiras de moqueta (p. 137). Siga las instrucciones, respetando sobre todo el tiempo de engomado, es decir, el margen de tiempo que debe transcurrir antes de aplicar el revestimiento sobre la capa de cola.

La unión de las tiras. La unión se efectúa cuando las dos tiras se han encolado tres cuartas partes. Para esta operación, un tanto delicada, proceda como se explica a continuación:

▶ Levante los bordes de las tiras y deslice por debajo una regla metálica plana. Esta regla protegerá la hoja del cúter durante el corte, ya que la cuchilla podría tropezar eventualmente con pequeñas imperfecciones del suelo.

▶ Doble después los dos orillos de las tiras y coloque una regla abombada Esta regla rígida servirá de apoyo para la hoja del cúter. Corte las dos capas del revestimiento al mismo tiempo (croquis). Si debe desplazar la regla, hágalo sin retirar la hoja del cúter del corte, con lo que se evitará falsas maniobras.

▶ Abra los dos labios de la junta para retirar los bordes cortados y retirar la regla metálica. Separe las dos tiras y encole enseguida el suelo con una espátula dentada.

▶ Baje el revestimiento y ponga objetos pesados sobre la junta para facilitar la adherencia de la cola.

Los acabados. Para terminar, a fin de que la unión se mantenga en su lugar, se aconseja recubrirla con una cinta adhesiva (secuencia). Esta cinta debe cortarse después entre los dos orillos, para que pueda extender un fino hilillo de una cola especial, una especie de líquido incoloro. Lo que este producto hace es soldar el vinilo y formar una junta impermeable. Cuando haya acabado todo el proceso, puede colocar un tapajuntas en el umbral de la puerta.

Para que el vinilo conserve más tiempo su brillo, aplique en la superficie Polish para suelos justo después de colocarlo. De vez en cuando, vuelva a aplicar una capa, después de haber efectuado una limpieza en profundidad.

Finalizar la unión entre dos tiras

1. Recubra la junta con una cinta adhesiva. Esta cinta debe extenderse a lo largo de toda la junta.

2. Corte la cinta adhesiva con un cúter. Hágalo despacio, pasando la hoja entre los dos bordes.

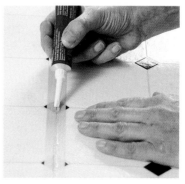

3. Ponga un hilillo de cola en el corte marcado por el cúter. Esta cola incolora especial soldará las dos tiras de vinilo.

Índice